名探偵コナン

安室透セレクション　ゼロの裏事情《エピソード》

酒井 匙／著
青山剛昌／原作・イラスト

★小学館ジュニア文庫★

仲《なか》の悪《わる》いガールズバンド

DETECTIVE CONAN

TŌRU AMURO SELECTION

放課後《ほうかご》。

江戸川《えどがわ》コナンは、毛利探偵事務所《もうりたんていじむしょ》の一階《いっかい》にある喫茶店《きっさてん》「ポアロ」にいた。毛利蘭《もうりらん》と鈴木《すずき》園子《そのこ》、そして世良真純《せらますみ》も一緒《いっしょ》だ。

隣《となり》のテーブルでは、ギターケースやアンプを持《も》った二人《ふたり》の男《おとこ》たちがコーヒーを飲《の》んでいる。

注文《ちゅうもん》した飲《の》み物《もの》が来《く》ると、園子《そのこ》はテーブルの上《うえ》に身《み》を乗《の》り出《だ》して、テンション高《たか》く切《き》り出《だ》した。

「バンドだよ、バンド!! ウチら3人《にん》で…女子高生《じょしこうせい》バンドやろ!!」

唐突《とうとつ》な提案《ていあん》に、世良《せら》が「何《なん》で急《きゅう》に…」と不思議《ふしぎ》そうな視線《しせん》を向《む》ける。

「昨夜《ゆうべ》やってた映画《えいが》に出《で》て来《く》る、女子高生《じょしこうせい》バンドがヤバカワでさー♡」

園子《そのこ》の答《こた》えに、蘭《らん》は「へー…」とうなずいた。

「それで？ 園子姉《そのこねえ》ちゃんは何《なん》の楽器《がっき》やるの？」

コナンが聞《き》くと、園子《そのこ》はさらに身《み》を乗《の》り出《だ》して、「ドラムに決《き》まってんでしょー!!」と勢《いきお》いよく答《こた》えた。

「そのバンドのドラムの子《こ》が、私《わたし》に似《に》てて…カッコよくってー！」

コナンはジュースを飲《の》みながら、（なるほどね…）とあきれた。映画《えいが》に出《で》て来《き》たという女子高生《じょしこうせい》バンドのドラムの子《こ》に、園子《そのこ》はすっかり自分《じぶん》を重《かさ》ねてしまっているようだ。

「じゃあわたしは…」

「蘭《らん》は黒髪《くろかみ》ロングだからベースよ、ベース！　そのバンドのベースの子《こ》もそうだったし！」

一方的《いっぽうてき》に決《き》められ、蘭《らん》は思《おも》わず目《め》がテンになってしまった。

「で、でもわたし…ベースなんて弾《ひ》いた事《こと》ないよ？」

「蘭姉《らんねえ》ちゃんはピアノの方《ほう》が得意《とくい》だよね？」

コナンが言《い》うと、世良《せら》が「ボクがベースやろうか？」と申《もう》し出《で》た。

「昔《むかし》、兄貴《あにき》の友人《ゆうじん》にちょっと教《おそ》わった事《こと》あるし…」

「んじゃ、世良《せら》ちゃんはベース！　蘭《らん》はキーボードやってくれる？」

「いいけど…。このバンド、どこでお披露目《ひろめ》するの？」

園子《そのこ》は待《ま》ってましたとばかりに、一枚《いちまい》のチラシを取《と》り出《だ》した。『米花町《べいかちょう》カウントダウン演芸大会参加者募集《えんげいたいかいさんかしゃぼしゅう》』と書《か》かれている。

「年末《ねんまつ》、この米花町《べいかちょう》でやるカウントダウン演芸大会《えんげいたいかい》に出場《しゅつじょう》して…見事《みごと》、優勝《ゆうしょう》をかっさらうって寸法《すんぽう》よ!!」

「けどさ…バンドなら、あとギターがいるんじゃないのか？」

世良《せら》が冷静《れいせい》に指摘《してき》すると、園子《そのこ》は「そうなんだけど…」と眉《まゆ》をひそめた。

「クラスにギター出来《でき》そうな子《こ》いなくてさー…」

どうしたものかと考《かんが》え込《こ》む園子《そのこ》の目《め》に、ポアロで働《はたら》く安室透《あむろとおる》の姿《すがた》が映《うつ》った。垂《た》れた目《め》じりと明《あか》るい色《いろ》の髪《かみ》が特徴的《とくちょうてき》な、目鼻《めはな》立ちのハッキリしたイケメンだ。物腰《ものごし》もやわらかく、彼《かれ》のさわやかな笑顔《えがお》が目当《めあ》ての女性客《じょせいきゃく》も多《おお》い。

「梓《あずさ》さん！　テーブルの上《うえ》、拭《ふ》いておいてくれます？」

安室《あむろ》に声《こえ》をかけられ、同《おな》じくポアロで働《はたら》く榎本梓《えのもとあずさ》は、「あ、はい！」と歯切《はぎ》れのよい返《へん》事《じ》をした。その様子《ようす》を見《み》た園子《そのこ》は「!!」と目《め》を見開《みひら》き、

「ギター、いたー!!」

と、梓《あずさ》をまっすぐに指《ゆび》さした。

梓《あずさ》は意味《いみ》がわからず、「え？」ときょとんとしてしまう。

「その女子高生《じょしこうせい》バンドにも、梓《あずさ》っていうギターの上手《うま》い子《こ》がいたんだよねー!!」

大喜《おおよろこ》びの園子《そのこ》に、コナンは（その映画《えいが》に毒《どく》され過《す》ぎてるな…）と、ますますあきれ顔《がお》になってしまう。

園子《そのこ》の勢《いきお》いに圧倒《あっとう》されつつ、梓《あずさ》は「で、でも」と口《くち》を開《ひら》いた。

「私《わたし》…ギターとか触《さわ》った事《こと》もないし…。そ、そもそも女子高生《じょしこうせい》でもないし…」

「そんなの、帝丹高校《ていたんこうこう》の制服《せいふく》着《き》ちゃえばわかんないって!!　梓《あずさ》さんって割《わり》とロリ顔《がお》だしさー♡」

「ロ、ロリ顔《がお》？　で、でもギターって難《むずか》しいんじゃ…」

「ちょっと練習《れんしゅう》すればすぐ弾《ひ》けるようになるって！　ジャジャーンってさ！」

園子《そのこ》が軽《かる》い口調《くちょう》で言《い》うと、隣《となり》のテーブルに座《すわ》っていた男《おとこ》が、「んじゃ弾《ひ》いてみろよ！」と口《くち》を挟《はさ》んできた。

「え？」

「俺《おれ》のギター、貸《か》してやるからよ…。携帯《けいたい》アンプにつないだから…音《おと》はすぐ出《で》るぜ？」

どうやら男《おとこ》はバンドマンで、ギターを甘《あま》く見《み》ている園子《そのこ》に当《あ》てつけているらしい。強引《ごういん》にギターを押《お》しつけられ、園子《そのこ》は仕方《しかた》なく受《う》け取《と》って肩《かた》からさげた。

男《おとこ》たちの視線《しせん》を浴《あ》びながら、おずおずと弦《げん》に触《ふ》れる。

(えーっと、確《たし》か映画《えいが》じゃ指《ゆび》を…こうやって…。あれ？　こうだっけ？)

映画《えいが》のシーンを思《おも》い出《だ》しながら、弦《げん》に指《ゆび》を合《あ》わせようとするが、うまくいかない。

困《こま》っている園子《そのこ》の様子《ようす》を見《み》て、男《おとこ》たちは意地悪《いじわる》くはやしたてた。

「何《なん》だ、出来《でき》ねぇじゃんよォ！」

「弾《ひ》けねぇのにナマ言《い》ってんじゃねぇよ!!　ＪＫ《ジェーケー》がよォ!!」

バカにされ、すっかり涙目《なみだめ》になってしまった園子《そのこ》を、蘭《らん》が心配《しんぱい》して見《み》つめる。

すると、安室《あむろ》が園子《そのこ》の背後《はいご》からすっと手《て》を伸《の》ばして、

「貸《か》して…」

と、ギターを受《う》け取《と》り、慣《な》れた様子《ようす》で弾《ひ》き始《はじ》めた。

(うまっ!!)

園子《そのこ》も蘭《らん》も、そしてコナンも、安室《あむろ》の演奏《えんそう》にすっかり見《み》とれてしまった。なめらかな手《て》

つきで弦《げん》を押《お》さえ、ピックで音《おと》を鳴《な》らすその繊細《せんさい》な所作《しょさ》は、容姿端麗《ようしたんれい》な安室《あむろ》によく似合《にあ》っている。

最後《さいご》にキュイインとかき鳴《な》らし、安室《あむろ》は演奏《えんそう》を終《お》えた。

「まあ、この子達《こたち》もちょっと練習《れんしゅう》すれば…これくらい弾《ひ》けますよ…」

そう言《い》いながら、男《おとこ》たちにギターを返《かえ》すと、園子《そのこ》に向《む》かってウィンクをして、

「園子《そのこ》さんも…ビッグマウスはほどほどに…」

と、こっそりささやく。

園子《そのこ》は笑顔《えがお》になって「うん!」とうなずくと、今度《こんど》は安室《あむろ》をバンドに勧誘《かんゆう》し始《はじ》めた。

「じゃあさ! 安室《あむろ》さんバンドに入《はい》ってよ! JK+《ジェーケープラス》イケメンも、ありなんじゃない?」

「それはちょっと…目立《めだ》つのはあまり…」

やんわりと断《ことわ》る安室《あむろ》の姿《すがた》を見《み》ながら、コナンは(ま、黒《くろ》ずくめの組織《そしき》に潜入《せんにゅう》してる公安《こうあん》だからな…)と苦笑《にがわら》いを浮《う》かべた。

そう、ポアロのアルバイト店員《てんいん》・安室透《あむろとおる》の正体《しょうたい》は、警察庁警備局《けいさつちょうけいびきょく》に所属《しょぞく》する公安警察《こうあんけいさつ》なのだ。本名《ほんみょう》を降谷零《ふるやれい》といい、黒《くろ》ずくめの組織《そしき》の一員《いちいん》・バーボンとして潜入捜査《せんにゅうそうさ》を行《おこな》ってい

る。公安警察《こうあんけいさつ》の降谷零《ふるやれい》、組織《そしき》の一員《いちいん》であるバーボン、そしてポアロで働《はたら》く私立探偵見習《しりつたんていみなら》いの安室透《あむろとおる》——彼《かれ》には三《みっ》つの顔《かお》があるのだ。

「練習《れんしゅう》ぐらいなら、みられますけど…これから貸《か》しスタジオに行《い》って、少《すこ》しやってみます？」

安室《あむろ》が提案《ていあん》すると、「いいね、それ！」と園子《そのこ》はうれしそうにうなずいた。

「やろやろ！」

と、蘭《らん》もはしゃいだ声《こえ》を上《あ》げる。

世良《せら》は頬杖《ほおづえ》をついたまま、じろりと安室《あむろ》の方《ほう》をにらんだ。

「なあアンタ…。ボクとどこかで…会《あ》った事《こと》ないか？」

「今日《きょう》が初《はじ》めてだと…思《おも》いますけど？」

はぐらかすように言《い》うと、安室《あむろ》は小《ちい》さく首《くび》を傾《かし》げた。


コナンたちは早速《さっそく》、ポアロを出《で》て貸《か》しスタジオに移動《いどう》した。

しかし、園子《そのこ》が受付《うけつけ》で申《もう》し込《こ》みをしようとしたところ、今《いま》は空《あ》きがないと断《ことわ》られてしまった。

「ウソ!? 部屋《へや》が全部《ぜんぶ》埋《う》まってる!? じゃあ借《か》りられないの!?」

「1時間《じかん》待《ま》って頂《いただ》ければ空《あ》きますけど…」

スタッフの返答《へんとう》に、園子《そのこ》は「どうする？」と後《うし》ろにいる蘭《らん》たちの方《ほう》を振《ふ》り返《かえ》った。

「またにするか？」

世良《せら》が言《い》うが、蘭《らん》は「でもせっかく来《き》たのに…」と残念《ざんねん》そうだ。

「まあ、1時間《じかん》ぐらいなら待《ま》ちますか？ 地下《ちか》に休憩所《きゅうけいじょ》もあるようですし…楽器《がっき》を借《か》りておけば、コードや単音《たんおん》で曲《きょく》の雰囲気《ふんいき》ぐらいは教《おし》えられますしね…」

安室《あむろ》が、地下《ちか》へと続《つづ》く階段《かいだん》を見《み》ながら提案《ていあん》した。案内板《あんないばん》によると確《たし》かに、地下《ちか》1階《かい》には、スタジオのほかに休憩所《きゅうけいじょ》も用意《ようい》されているようだ。

世良《せら》は目《め》を細《ほそ》め、安室《あむろ》に意味深《いみしん》に聞《き》いた。

「へぇー。アンタ…ベースもできるんだ…？」

「ええ…。君《きみ》の兄《あに》の友人《ゆうじん》より上手《うま》いかどうかは…保証《ほしょう》できかねますけどね…」

安室《あむろ》と世良《せら》の会話《かいわ》には、妙《みょう》な含《ふく》みがあった。まるで、お互《たが》いに何《なに》かを探《さぐ》り合《あ》っているかのようだ。しかし、蘭《らん》はその空気《くうき》には気《き》づかず「ところで園子《そのこ》は、ドラム叩《たた》けるの？」と園子《そのこ》に声《こえ》をかけた。

「もち！　わたし『ドラムの名人《めいじん》』得意《とくい》だから！」

園子《そのこ》が自信満々《じしんまんまん》に言《い》うのを聞《き》いて、コナンは（ゲームかよ…）と内心《ないしん》でツッコミを入《い》れた。


園子《そのこ》たちは、楽器《がっき》を借《か》りると、地下《ちか》の休憩室《きゅうけいしつ》へと下《お》りた。

あいていたテーブルの席《せき》に座《すわ》ると、世良《せら》は早速《さっそく》ベースを手《て》に取《と》って、一音《いちおん》ずつ音階《おんかい》を奏《かな》でた。

——ド♪　レ♪　ミ♪　ファ♪　ソ♪　ラ♪　シ♪　ド♪

とても初心者《しょしんしゃ》とは思《おも》えない、安定《あんてい》した音色《ねいろ》だ。

「世良《せら》ちゃん、すごーい!!」

「やるじゃん！」

世良《せら》が予想以上《よそういじょう》にベースを弾《ひ》けることがわかり、蘭《らん》も園子《そのこ》も色《いろ》めきたった。

「ただドレミを弾《ひ》いただけだって…。まあ、兄貴《あにき》の友人《ゆうじん》に教《おそ》わったのはこれくらいだけどね…」

うれしそうに言《い》う世良《せら》に、蘭《らん》と園子《そのこ》が「へー…」と声《こえ》をそろえる。

「ベースを教《おし》えてくれた、その男《おとこ》の顔《かお》…覚《おぼ》えてますか？」

安室《あむろ》が、組《く》んだ手《て》の甲《こう》にあごをのせながら聞《き》く。

世良《せら》は「まあ…なんとなく…」とあいまいに答《こた》えると、すっと真顔《まがお》になって聞《き》き返《かえ》した。

「どうしてわかったんだ？　その友人《ゆうじん》が、男《おとこ》だって…」

安室《あむろ》は「まあ…なんとなく…」と、世良《せら》の答《こた》えを真似《まね》してみせた。

園子《そのこ》たちの隣《となり》のテーブルでは、ガールズバンドのメンバー同士《どうし》がもめていた。
「もォー、みんな気合《きあ》い抜《ぬ》け過《す》ぎじゃないの!?　ライブまであと一週間《いっしゅうかん》しかないんだよ!?　こんなんじゃ間《ま》に合《あ》わないって!!」

ピリピリして声《こえ》を荒《あら》らげているのは、木船染花《きぶねそめか》。二十五歳《にじゅうごさい》のギター担当《たんとう》で、左右《さゆう》に胸《むね》ポケットのついたジャケットを着《き》ている。染花《そめか》の声《こえ》が大《おお》きいので、会話《かいわ》の内容《ないよう》は、近《ちか》くにいる蘭《らん》やコナンたちに筒抜《つつぬ》けだった。

「唯子《ただこ》のベースはリズムとれてないし、声《こえ》も出《で》てないじゃない!!」

染花《そめか》ににらまれ、ベースとボーカル担当《たんとう》の笛川唯子《ふえかわただこ》は「昨夜《ゆうべ》飲《の》み過《す》ぎちゃって…」と気《き》まずそうに言《い》い訳《わけ》した。唯子《ただこ》は二十四歳《にじゅうよんさい》の小柄《こがら》な女性《じょせい》で、黒《くろ》い帽子《ぼうし》をななめにかぶっている。

染花《そめか》は続《つづ》けて、キーボード担当《たんとう》の小暮留海《こぐれるみ》に向《む》かってまくしたてた。留海《るみ》は、メガネをかけて髪《かみ》を一《ひと》つにまとめた、唯子《ただこ》と同《おな》じ二十四歳《にじゅうよんさい》の女性《じょせい》だ。

「留海《るみ》のキーボードは、たまに音《おと》ズレてたよ!? ちゃんと爪切《つめき》ってないでしょ!?」

「ゴメン…。最近《さいきん》弾《ひ》いてないから…」

留海《るみ》が謝《あやま》ると、染花《そめか》は最後《さいご》に、ドラム担当《たんとう》でリーダーの山路萩江《やまじはぎえ》に視線《しせん》を向《む》けた。萩江《はぎえ》はふっくらとした二十五歳《にじゅうごさい》の女性《じょせい》で、手編《てあ》みらしいニット帽《ぼう》をかぶっている。

「萩江《はぎえ》のドラムもいつものキレがないしさ!」

「悪《わる》い…なんか眠《ねむ》くってさ…」

悪《わる》びれずに言《い》うと、萩江《はぎえ》はやんわりと染花《そめか》に言《い》い返《かえ》した。

「まあ、染花《そめか》のギターもはしり過《す》ぎ…。イライラしてるって感《かん》じだな…」

「だからもう時間《じかん》が…」

「ボタンが取《と》れかけてるのにも…気《き》づいてないみたいだしね…」

「え？」

指摘《してき》され、染花《そめか》は驚《おどろ》いて視線《しせん》を落《お》とした。確《たし》かに、ジャケットの左胸《ひだりむね》のボタンが取《と》れかかっている。

「とにかくしばらく休憩入《きゅうけいい》れて、みんな頭《あたま》を冷《ひ》やしてから練習再開《れんしゅうさいかい》だな…。それまで私《わたし》…スタジオで仮眠《かみん》とってるから…10分《ぷん》ぐらい寝《ね》たら復活《ふっかつ》すると思《おも》うからさ…」

そう言《い》い残《のこ》すと、萩江《はぎえ》は休憩室《きゅうけいしつ》を出《で》て行《い》ってしまう。

パタンとドアがしまると、染花《そめか》はスマホを取《と》り出《だ》して時間《じかん》を確認《かくにん》した。

「――ったく、スタジオあと2時間《じかん》ちょっとしか借《か》りられないのに…」

留海《るみ》は指先《ゆびさき》を見《み》て「爪《つめ》…どうしよう…」とつぶやいた。

「私《わたし》の爪切《つめき》り、使《つか》う？」

唯子《ただこ》が自分《じぶん》の爪切《つめき》りを差《さ》し出《だ》して言《い》う。

「ありがと…。後《あと》でトイレで切《き》って来《く》るね…」

「染花《そめか》のボタンも付《つ》けてあげよっか？　私《わたし》、ソーイングセット持《も》ってるし…」

にっこりして言《い》うと、唯子《ただこ》はカバンの中《なか》に手《て》を入《い》れてソーイングセットを探《さが》し始《はじ》めた。

「唯子《ただこ》はお母《かあ》さんみたいだね！　裁縫《さいほう》も得意《とくい》だし…」と、留海《るみ》。

「編《あ》み物《もの》は朱音《あかね》には負《ま》けるよー…萩江《はぎえ》が被《かぶ》ってるニット帽《ぼう》も…朱音《あかね》が編《あ》んだ物《もの》だしさ…」

カバンの中《なか》を探《さが》しながら言《い》う唯子《ただこ》に、染花《そめか》は「そうよ…」と低《ひく》い声《こえ》でうなずいた。

「その朱音《あかね》の為《ため》の追悼《ついとう》ライブなんだから…絶対《ぜったい》に成功《せいこう》させなきゃいけないのよ‼　なのに萩江《はぎえ》…仮眠《かみん》だなんて…ちゃんとわかってるのかなあ…」

すると、唯子《ただこ》が「あ！　やばっ‼」と、声《こえ》を上《あ》げた。

「ソーイングセット…スタジオに忘《わす》れて来《き》ちゃったよ…。じゃあ、萩江《はぎえ》を起《お》こしに行《い》くついでにボタン付《つ》けてあげるから、上着貸《うわぎか》して！」

「え、ええ…」

染花《そめか》は上着《うわぎ》を脱《ぬ》いで、唯子《ただこ》に渡《わた》した。

「でも萩江《はぎえ》は私《わたし》が起《お》こしに行《い》くよ…。切《き》れたギターの弦《げん》、張《は》り替《か》えなきゃいけないし…」

すると留海《るみ》が「あ、私《わたし》も…」と続《つづ》いた。

「ちょっと曲《きょく》を変《か》えたい所《ところ》があったんだけど…萩江《はぎえ》がスタジオで寝《ね》てるなら無理《むり》だよね？　キーボード弾《ひ》かないと楽譜《がくふ》書《か》けないし…」

確《たし》かに、スタジオでキーボードを弾《ひ》けば、萩江《はぎえ》を起《お》こしてしまうだろう。それは、染花《そめか》がギターの音《おと》を出《だ》した場合《ばあい》も同《おな》じだ。

「チューニングも音出《おとで》るな…」

と、染花《そめか》は困《こま》ったようにつぶやいた。楽器《がっき》のチューニングをするにしろ、楽譜《がくふ》を書《か》くにしろ、萩江《はぎえ》がスタジオで寝《ね》ている間《あいだ》は作業《さぎょう》ができないということだ。

「まあまだ時間《じかん》あるし…。焦《あせ》らずに行《い》こ！」

唯子《ただこ》は笑顔《えがお》で、二人《ふたり》を励《はげ》ました。

園子《そのこ》たちは休憩室《きゅうけいしつ》で、スタジオが空《あ》くのを待《ま》ちながら、演奏《えんそう》する曲《きょく》について話《はな》し合《あ》った。

「では…曲《きょく》は沖野《おきの》ヨーコさんの『ダンディライオン』だとして…誰《だれ》がボーカルをやるんですか？」

安室《あむろ》に改《あらた》めて聞《き》かれ、園子《そのこ》たちは「え？」と困《こま》って、お互《たが》いの顔《かお》を見《み》つめ合《あ》った。

「そ、園子《そのこ》…だよね？」

「わたしは二《ふた》つの事《こと》を同時《どうじ》に出来《でき》ない人《ひと》だから…世良《せら》ちゃん、歌《うた》う？」

「ボクは遠慮《えんりょ》しとくよ…君《きみ》の彼氏《かれし》の新一君《しんいちくん》はどうなんだ？」

世良《せら》に聞《き》かれ、蘭《らん》は「え？」と頬《ほお》を赤《あか》くした。工藤新一《くどうしんいち》のことを「彼氏《かれし》」と言《い》われると、なんだか気恥《きは》ずかしくなってしまう。蘭《らん》はこの間《あいだ》、新一《しんいち》にロンドンで告白《こくはく》されて、晴《は》れて恋人同士《こいびとどうし》になったばかりなのだ。

「彼《かれ》なら、ギターも弾《ひ》けるんじゃないか？」

「し、新一《しんいち》はヴァイオリンは弾《ひ》けるけど…。ギターはどう…かな？」

赤《あか》くなったまま言《い》うと、蘭《らん》はコナンの方《ほう》を見《み》ながら「歌《うた》はコナン君並《くんな》みに…ねぇ…」と付《つ》け加《くわ》えた。コナンも新一《しんいち》も、歌《うた》はかなり下手《へた》なのだ。

（悪《わる》かったな、音痴《おんち》でよ…）

コナンは内心《ないしん》で、きまり悪《わる》くつぶやいた。

その時《とき》——。

「きゃあぁ!!」

女性《じょせい》の悲鳴《ひめい》が響《ひび》き渡《わた》った。

「この悲鳴《ひめい》…さっきのバンドの人達《ひとたち》じゃないか!?」

「上《うえ》のスタジオからですね…」

すぐさま反応《はんのう》した世良《せら》と安室《あむろ》とコナンは、休憩室《きゅうけいしつ》を出《で》て階段《かいだん》をダダ…と駆《か》け上《あ》がった。

「さっき、３人《にん》で上《うえ》に上《あ》がってってたけど…」

「何《なに》かあったのかなあ？」

園子《そのこ》と蘭《らん》は、不思議《ふしぎ》そうに言《い》いながら、走《はし》って行《い》くコナンたちを見送《みおく》った。

一階《いっかい》に上《あ》がると、安室《あむろ》は受付《うけつけ》のスタッフに「今《いま》の悲鳴《ひめい》は!?」と聞《き》いた。

「お、奥《おく》のスタジオから…」

スタッフが、震《ふる》えながらスタジオの方《ほう》を指《ゆび》さす。

半開《はんびら》きになったスタジオのドアからは、「ちょっとこれ…死《し》んでんじゃないの？」と、困惑《こんわく》した声《こえ》が聞《き》こえてきていた。

コナンたちはガチャッとドアを開《あ》け、スタジオの中《なか》に飛《と》び込《こ》んで、息《いき》をのんだ。

萩江《はぎえ》が、目《め》を見開《みひら》いたまま、ぴくりとも動《うご》かずドラムに寄《よ》りかかっていたのだ。

「ちょっと萩江《はぎえ》!?」

「ウソでしょ!?」

「萩江《はぎえ》!!　萩江《はぎえ》!?」

留海《るみ》、染花《そめか》、唯子《ただこ》が、大声《おおごえ》で呼《よ》びかけるが、萩江《はぎえ》の反応《はんのう》はない。

「すみません、離《はな》れてください！」

安室《あむろ》はそう声《こえ》をかけて留海《るみ》たちを遠《とお》ざけると、世良《せら》やコナンと一緒《いっしょ》に、萩江《はぎえ》の様子《ようす》を観察《かんさつ》した。残念《ざんねん》ながら、すでに死亡《しぼう》しているようで、首《くび》にはひっかき傷《きず》のような赤《あか》い痕《あと》が残《のこ》っている。

「首《くび》に吉川線《よしかわせん》…」

「絞殺《こうさつ》だな…」

安室《あむろ》と世良《せら》がつぶやくのを聞《き》いて、染花《そめか》は「こ、絞殺《こうさつ》って、誰《だれ》が萩江《はぎえ》を!?」と、うろたえた。

「それはすぐにわかると思《おも》うよ!! 天井《てんじょう》に付《つ》いてる…あの防犯《ぼうはん》カメラの映像《えいぞう》を観《み》ればね!」

コナンが指《ゆび》さした先《さき》には、ドーム型《がた》の防犯《ぼうはん》カメラが設置《せっち》されている。早速《さっそく》スタッフに頼《たの》んで、映像《えいぞう》を再生《さいせい》してみるが、画面《がめん》の右半分《みぎはんぶん》が何《なに》か黒《くろ》いものに覆《おお》われて、見《み》えなくなってしまっていた。

「おい!? 何《なん》だよこれ!? 映像《えいぞう》の半分《はんぶん》が黒《くろ》くて見《み》えないじゃないか!? しかも丁度《ちょうど》ドラムの所《ところ》が…」

世良《せら》が文句《もんく》を言《い》うと、バンドメンバーたちがおずおずと口《くち》を開《ひら》いた。

「それ、携帯《けいたい》の裏《うら》かも…」と、留海《るみ》。

「自分《じぶん》らが演奏《えんそう》する所《ところ》を撮《と》ってたから…」と、染花《そめか》。

「マイクの先《さき》に、自撮《じど》り棒《ぼう》をつけてね…」と、唯子《ただこ》。

彼女《かのじょ》たちは、スタンドマイクの先《さき》に自撮《じど》り棒《ぼう》をつけ、インカメラにしたスマホで練習風景《れんしゅうふうけい》を撮影《さつえい》していたのだ。ところが運悪《うんわる》く、スマホが監視《かんし》カメラの撮影範囲《さつえいはんい》にかかってしまい、ちょうどドラムがある位置《いち》が隠《かく》れてしまった。

「なるほど…。この状況《じょうきょう》だと…」

「被害者《ひがいしゃ》のそばで誰《だれ》が何《なに》をやったとしても…」

安室《あむろ》と世良《せら》が、映像《えいぞう》を見《み》ながらつぶやく。

(わからねえって事《こと》か!!)

と、コナンは心《こころ》の中《なか》で言葉《ことば》を継《つ》いだ。


通報《つうほう》を受《う》け、鑑識《かんしき》と共《とも》に現場《げんば》へとやって来《き》たのは、警視庁捜査一課《けいしちょうそうさいっか》の目暮十三警部《めぐれじゅうぞうけいぶ》と高《たか》木渉巡査部長《ぎわたるじゅんさぶちょう》だった。

目暮警部《めぐれけいぶ》は、留海《るみ》たちから遺体発見時《いたいはっけんじ》の状況《じょうきょう》について聞《き》くと、マイクスタンドの先《さき》についた自撮《じど》り棒《ぼう》とスマホを手《て》に取《と》って「なるほど…」とつぶやいた。

「自分達《じぶんたち》の演奏《えんそう》を録画《ろくが》する為《ため》に…こうやって、携帯電話《けいたいでんわ》をセットした自撮《じど》り棒《ぼう》をマイクスタンドに付《つ》けていたせいで…防犯《ぼうはん》カメラの映像《えいぞう》が半分遮断《はんぶんしゃだん》され…山路萩江《やまじはぎえ》さんが絞殺《こうさつ》されたドラム付近《ふきん》が全《まった》く見《み》えなくなり…誰《だれ》が彼女《かのじょ》を殺《ころ》したかわからなくなった……という事《こと》ですな？」

「は、はい…」

留海《るみ》が、緊張《きんちょう》した面持《おもも》ちでうなずく。

「ちなみに、これをここに置《お》いたのは誰《だれ》なんですか？」

高木刑事《たかぎけいじ》が聞《き》くと、唯子《ただこ》が「わ、私《わたし》だけど…」と名乗《なの》り出《で》た。

「べ、別《べつ》に、防犯《ぼうはん》カメラを半分隠《はんぶんかく》そうなんて思《おも》って置《お》いてないよ？　ただみんなに言《い》われるまま置《お》いただけで…。ねえ、そうだったよね？」

唯子《ただこ》は助《たす》けを求《もと》めて、染花《そめか》と留海《るみ》に視線《しせん》を送《おく》った。

「ええ…。携帯《けいたい》に映《うつ》る映像《えいぞう》を見《み》ながら、もっと左《ひだり》とか…」と染花《そめか》。

「もう少《すこ》し奥《おく》とか…。最後《さいご》は萩江《はぎえ》が…『もうそこでいいから練習始《れんしゅうはじ》めよ！』──って言《い》って、位置《いち》が決《き》まったと思《おも》いますけど…」と、留海《るみ》。

「しかし店《みせ》の人《ひと》に怒《おこ》られなかったのかね？　防犯《ぼうはん》カメラを半分塞《はんぶんふさ》いでしまって…」

「最初《さいしょ》の頃《ころ》は注意《ちゅうい》されてたけど…。ウチら常連《じょうれん》だったし…別《べつ》に楽器《がっき》や機材《きざい》を傷《きず》つけたりしなかったから…最近《さいきん》は大目《おおめ》に見《み》てくれてたよ…」

染花《そめか》が説明《せつめい》すると、高木刑事《たかぎけいじ》は「でもどうしてですか？」と聞《き》きながら、壁際《かべぎわ》に近《ちか》づき、設置《せっち》されていたカーテンを開《あ》けた。するとそこには鏡張《かがみば》りになった壁《かべ》があり、ドラムに寄《よ》りかかった萩江《はぎえ》の遺体《いたい》がはっきりと映《うつ》っていた。

「普通《ふつう》、貸《か》しスタジオって壁《かべ》の一面《いちめん》が…こう、鏡張《かがみば》りになってますから…犯行場面《はんこうばめん》が鏡《かがみ》に映《うつ》って防犯《ぼうはん》カメラに録画《ろくが》されていたと思《おも》うんですけど…。なぜカーテンを閉《し》めたんですか？」

「それも萩江《はぎえ》だよ…」

「演奏《えんそう》に集中《しゅうちゅう》したいからって…」

「携帯《けいたい》で撮《と》ってるなら後《あと》で観《み》れば十分《じゅうぶん》だってね…」

唯子《ただこ》、染花《そめか》、留海《るみ》が順番《じゅんばん》に説明《せつめい》する。

監視《かんし》カメラの映像《えいぞう》が半分隠《はんぶんかく》れていたのも、スタジオの鏡《かがみ》がカーテンで覆《おお》われていたのも、どうやら被害者《ひがいしゃ》の萩江《はぎえ》が自《みずか》らつくり出《だ》した状況《じょうきょう》のようだ。

「…となると、この状況《じょうきょう》は起《お》こるべくして起《お》きたという事《こと》か…」

目暮警部《めぐれけいぶ》が口元《くちもと》に手《て》をあててつぶやく。すると安室《あむろ》が、「ええ…」と自然《しぜん》にうなずきながら、会話《かいわ》に入《はい》って来《き》た。

「こうなる事《こと》を予想《よそう》した犯人《はんにん》が…犯行《はんこう》に利用《りよう》したんでしょう…。まあ、探偵《たんてい》の立場《たちば》から口《くち》を挟《はさ》ませてもらうとですけどね…」

さらに続《つづ》けて、世良《せら》とコナンも口《くち》を挟《はさ》む。

「とにかく、防犯《ぼうはん》カメラの映像《えいぞう》を観《み》ながら、その3人《にん》に話《はなし》を聞《き》いた方《ほう》がいいんじゃないか？」

「このお姉《ねえ》さん達《たち》、萩江《はぎえ》さんを起《お》こしに代《か》わる代《が》わるこのスタジオに入《はい》ったみたいだからさ！」

口々《くちぐち》に言《い》われ、目暮警部《めぐれけいぶ》は流《なが》されて、「あ、ああ、そうだな…」とうなずいた。

安室《あむろ》も世良《せら》もコナンも、何《なに》かと殺人事件《さつじんじけん》の現場《げんば》に居合《いあ》わせることが多《おお》く、目暮警部《めぐれけいぶ》とも頻繁《ひんぱん》に顔《かお》を合《あ》わせている。三人《さんにん》とも、すぐに事件《じけん》に首《くび》を突《つ》っ込《こ》みたがるので、目暮警部《めぐれけいぶ》は毎回《まいかい》たじたじになっていた。

「またこの喫茶店探偵《きっさてんたんてい》に、女子高生探偵《じょしこうせいたんてい》に、探偵気取《たんていきど》りの小学生《しょうがくせい》か…」

目暮警部《めぐれけいぶ》がうんざりして言《い》うと、高木刑事《たかぎけいじ》も「探偵多《たんていおお》いっスよね？　この町《まち》…」と、あつけに取《と》られた。


目暮警部《めぐれけいぶ》は、唯子《ただこ》、萩江《はぎえ》、留海《るみ》の三人《さんにん》から改《あらた》めて事情《じじょう》を聴《き》いて、状況《じょうきょう》を整理《せいり》した。

「ではこういう事《こと》かね？　地下《ちか》の休憩所《きゅうけいじょ》で４人《にん》で休憩《きゅうけい》をとっていたら…萩江《はぎえ》さんが仮眠《かみん》をとると言《い》いスタジオに戻《もど》り…３人《にん》で代《か》わる代《が》わる彼女《かのじょ》を起《お》こしにスタジオに行《い》ったが、彼女《かのじょ》は起《お》きず…さすがに30分以上《ぷんいじょう》寝《ね》ているからと、最後《さいご》は３人《にん》で起《お》こしに行《い》ったら…萩江《はぎえ》さんが殺《ころ》されていたと…」

「は、はい…」

留海《るみ》がうなずく。

「最初《さいしょ》に起《お》こしに行《い》ったのは誰《だれ》かね？」

目暮警部《めぐれけいぶ》に聞《き》かれ、「わ、私《わたし》だけど…」と唯子《ただこ》が名乗《なの》り出《で》た。

「何度《なんど》か声《こえ》をかけたけど、返事《へんじ》がなかったし…ボタンを付《つ》け終《お》わってもまだ寝《ね》てたから、染花《そめか》と留海《るみ》が待《ま》ってる休憩所《きゅうけいじょ》に戻《もど》ったよ…」

「ボタン？」

「染花《そめか》のジャケットの取《と》れかかってたボタンを付《つ》けようと思《おも》ったら、ソーイングセット、スタジオに置《お》き忘《わす》れちゃってて…」

唯子《ただこ》の証言《しょうげん》を確認《かくにん》するため、目暮警部《めぐれけいぶ》と高木刑事《たかぎけいじ》は、監視《かんし》カメラの映像《えいぞう》を確認《かくにん》した。萩江《はぎえ》のあと、最初《さいしょ》にスタジオに入《はい》って来《き》たのは、確《たし》かに唯子《ただこ》だ。

「ああ、ここですね！　唯子《ただこ》さんが入《はい》って来《き》たのは…」

「おお！　映《うつ》っているのか…！」

「ええ…。体《からだ》の半分《はんぶん》は隠《かく》れてますけど、服《ふく》を繕《つくろ》っているのはわかりますね…」

映像《えいぞう》には、イスに座《すわ》って作業《さぎょう》をする唯子《ただこ》の様子《ようす》が映《うつ》っている。左半身《ひだりはんしん》はスマホの陰《かげ》に隠《かく》れていたが、確《たし》かに両手《りょうて》で縫《ぬ》い物《もの》をしているのが確認《かくにん》できた。

「しかし10分近《ぷんちか》くいるようだが…ボタンを付《つ》けるだけでそんなにかかるかね？」

目暮警部《めぐれけいぶ》にあやしまれ、唯子《ただこ》は「よく見《み》たら袖口《そでぐち》とかもほつれてたから…」とあわてて説明《せつめい》した。

染花《そめか》が上着《うわぎ》の袖口《そでぐち》を確認《かくにん》して、「ホントだ！　直《なお》ってる…」と声《こえ》を上《あ》げる。

「じゃあ、次《つぎ》に起《お》こしに行《い》ったのは？」

「私《わたし》だよ…」

染花《そめか》が、目暮警部《めぐれけいぶ》の前《まえ》へ一歩《いっぽ》進《すす》み出《で》た。

「私《わたし》のギター、メンテ中《ちゅう》だから、この店《みせ》で借《か》りたんだけど…練習中《れんしゅうちゅう》にそのギターの弦《げん》が切《き》れやがってさ…それを張《は》り替《か》えるついでに起《お》こしに行《い》ったんだ…。練習《れんしゅう》を中断《ちゅうだん》して4人《にん》で休憩所《きゅうけいじょ》に行《い》ったのも、弦《げん》が切《き》れたのがきっかけだったしさ…」

「店《みせ》で借《か》りたギターなら、店《みせ》の人《ひと》に張《は》り替《か》えてもらえばよかったんじゃないのかね？」

「張《は》り替《か》えもチューニングも、自分《じぶん》でしたかったんだよ！」

目暮警部《めぐれけいぶ》と染花《そめか》が話《はな》す間《あいだ》、高木刑事《たかぎけいじ》は監視《かんし》カメラの映像《えいぞう》を確認《かくにん》していたが、スタジオに染花《そめか》が入《はい》って来《く》る様子《ようす》が映《うつ》し出《だ》されると、

「あ！　これ染花《そめか》さんですよね？」

と声《こえ》を上《あ》げた。染花《そめか》はイスに座《すわ》り、何《なに》やらギターをいじっているようだ。

「弦《げん》を張《は》り替《か》えてチューニングしている所《ところ》ですね？」

「ああ、そうだよ！」

染花《そめか》が座《すわ》っているのは、ドラムがある位置《いち》のすぐ近《ちか》くだ。

「でもチューニングって音《おと》、出《だ》しますよね？」

「位置的《いちてき》にかなりドラムのそばだが…」

寝《ね》ている萩江《はぎえ》のそばでチューニングをしているなんて不自然《ふしぜん》だ——と言《い》いたげな高木刑《たかぎけい》事《じ》と目暮警部《めぐれけいぶ》に、染花《そめか》は「わざと音《おと》を立《た》てて起《お》こしてやろうと思《おも》ったんだよ！　早《はや》く練習《れんしゅう》を始《はじ》めたかったしな！」と声《こえ》を荒《あら》らげた。

「その時《とき》の萩江《はぎえ》さんの様子《ようす》は？」

「ドラムのハイタムに突《つ》っ伏《ぷ》して、腕《うで》で顔《かお》を覆《おお》うように寝《ね》てたよ…。萩江《はぎえ》はいつもそうしてたし…何《なん》か、そこが一番寝《いちばんね》ごこちがいいみたいでさ…」

ハイタムというのは、高《たか》い音程《おんてい》を出《だ》す小《ちい》さなドラムのことだ。演奏者《えんそうしゃ》から見《み》て左側《ひだりがわ》に配《はい》置《ち》されていることが多《おお》い。

「じゃあ、その時点《じてん》で彼女《かのじょ》が死《し》んでたとしても…」

「わからなかったわけですね？」

世良《せら》と安室《あむろ》が指摘《してき》すると、唯子《ただこ》は心外《しんがい》そうに二人《ふたり》をにらんだ。

「まさか、私《わたし》が最初《さいしょ》に行《い》った時《とき》に殺《ころ》したっていいたいの？」

「たとえばの話《はなし》ですよ…」

安室《あむろ》が穏便《おんびん》になだめる。

「では、最後《さいご》に起《お》こしに行《い》ったのは留海《るみ》さんですね？」

目暮警部《めぐれけいぶ》に確認《かくにん》され、留海《るみ》は「はい…」と神妙《しんみょう》にうなずいた。

「実《じつ》は今日《きょう》の練習中《れんしゅうちゅう》に、曲《きょく》を直《なお》したい所《ところ》ができてしまって…その直《なお》しも兼《か》ねて起《お》こしに行《い》ったんです…。スタジオに置《お》いてあった楽譜《がくふ》を見《み》て頂《いただ》ければ、わかると思《おも》いますけど…」

目暮警部《めぐれけいぶ》は「えーっと…」と楽譜《がくふ》を開《ひら》いた。

「確《たし》かに…書《か》き直《なお》された箇所《かしょ》があるようだが…」

音楽《おんがく》にうとい目暮警部《めぐれけいぶ》は、具体的《ぐたいてき》にどのように修正《しゅうせい》されているのかわからず、眉《まゆ》をひそめた。染花《そめか》と留海《るみ》が、唯子《ただこ》と一緒《いっしょ》に楽譜《がくふ》をのぞき込《こ》む。

「ここ、アップテンポにしたんだね？」

「うん…」

「この方《ほう》がノリがいいな！」

三人《さんにん》が話《はな》すのを聞《き》いて、目暮警部《めぐれけいぶ》は（さっぱりわからんが…）と首《くび》をひねった。とにかく、楽譜《がくふ》が修正《しゅうせい》されているのは間違《まちが》いがないようだ。

「まあ萩江《はぎえ》が死《し》んじゃったから…この曲《きょく》を演奏《えんそう》する機会《きかい》もなくなっちゃったかもしれないけどね…」

ひとりごとのようにつぶやいて、留海《るみ》は無念《むねん》そうに顔《かお》をくもらせた。

「あ！　映《うつ》ってます、映《うつ》ってます！　でも留海《るみ》さん、キーボードを動《うご》かしてますけど…」

高木刑事《たかぎけいじ》が、監視《かんし》カメラの映像《えいぞう》を確認《かくにん》して言《い》う。

スタジオの中《なか》に入《はい》って来《き》た留海《るみ》は、壁際《かべぎわ》に置《お》いてあったキーボードをわざわざ部屋《へや》の中央《ちゅうおう》に移動《いどう》させると、監視《かんし》カメラに背中《せなか》を向《む》ける形《かたち》で座《すわ》って、作業《さぎょう》を始《はじ》めた。

「寝《ね》てる萩江《はぎえ》を起《お》こさないように、ドラムから離《はな》したんです…。ちゃんと曲《きょく》を直《なお》し終《お》えてから萩江《はぎえ》に聴《き》いて欲《ほ》しくて…音《おと》もできるだけ小《ちい》さくして…。直《なお》し終《お》えて声《こえ》をかけたんですけど、返事《へんじ》はありませんでした…」

留海《るみ》の説明《せつめい》を聞《き》き、目暮警部《めぐれけいぶ》は「ウーン…」とうなった。

「あなたも10分《ぷん》ぐらいスタジオにいたようですな…」

ソーイングセットを取《と》りに行《い》って染花《そめか》の上着《うわぎ》を繕《つくろ》っていた唯子《ただこ》も、ギターのチューニングをしていた染花《そめか》も、曲《きょく》を直《なお》していた留海《るみ》も、スタジオにいた時間《じかん》は十分《じっぷん》ほどだ。作業《さぎょう》をしている間《あいだ》、唯子《ただこ》と染花《そめか》は体《からだ》の左側《ひだりがわ》が監視《かんし》カメラに映《うつ》っていなかった。そして留海《るみ》は、監視《かんし》カメラに背中《せなか》を向《む》けていたため、正面側《しょうめんがわ》が映《うつ》っていなかった。

それぞれにあやしい点《てん》はあるものの、今《いま》の段階《だんかい》では、誰《だれ》が萩江《はぎえ》を殺《ころ》したのか断定《だんてい》することは難《むずか》しそうだ。

「では、とりあえず萩江《はぎえ》さんを絞殺《こうさつ》したヒモ状《じょう》の凶器《きょうき》を探《さが》しますので…あなた方《がた》3人《にん》はボディーチェックを受《う》けた後《あと》…地下《ちか》の休憩所《きゅうけいじょ》で待機《たいき》していてください！」

目暮警部《めぐれけいぶ》の指示《しじ》に従《したが》い、容疑者《ようぎしゃ》の三人《さんにん》は警察《けいさつ》のボディーチェックを受《う》けることになった。

ところが――。

「何《なに》ィ!?　凶器《きょうき》が見《み》つからない!?」

高木刑事《たかぎけいじ》からボディーチェックの結果《けっか》を聞《き》いた目暮警部《めぐれけいぶ》は、声《こえ》を裏返《うらがえ》して叫《さけ》んだ。

「隅《すみ》から隅《すみ》まで探《さが》したのかね⁉」

「ええ…スタジオ内《ない》からトイレの排水口《はいすいこう》の中《なか》まで…」

「死亡推定時刻《しぼうすいていじこく》は、丁度《ちょうど》あの３人《にん》が被害者《ひがいしゃ》を起《お》こしにスタジオに入《はい》った頃《ころ》だし…この店《みせ》の出入《でい》り口《ぐち》の防犯《ぼうはん》カメラによると、あの３人《にん》は外《そと》へ出《で》ていない…。ボディーチェックしても出《で》て来《こ》なかったという事《こと》は、必《かなら》ずここのどこかにあるはずだ！　もっと念入《ねんい》りに探《さが》せ‼」

目暮警部《めぐれけいぶ》に叱《しか》られ、高木刑事《たかぎけいじ》は「は、はい‼」と返事《へんじ》をして、あわただしく走《はし》って行《い》った。

萩江《はぎえ》の遺体《いたい》が見《み》つかったスタジオでは、引《ひ》き続《つづ》き、警察《けいさつ》の調査《ちょうさ》が行《おこな》われている。その様子《ようす》を見《み》た利用客《りようきゃく》たちは、「何《なに》かあったんスか？」「事件《じけん》？」と、受付《うけつけ》のスタッフを質問攻《しつもんぜ》めにしていた。みんなバンドの練習《れんしゅう》に来《き》ていたらしく、大《おお》きな楽器《がっき》ケースを背負《せお》っている人《ひと》もいる。

ロビーでコナンたちと待機《たいき》していた世良《せら》は、利用客《りようきゃく》が背負《せお》ったギターケースを見《み》つめながら、何《なに》かを考《かんが》え込《こ》むような表情《ひょうじょう》を浮《う》かべた。

「どうしたの？　世良《せら》ちゃん…」

「あの人達《ひとたち》、怪《あや》しんでるの？」

蘭《らん》と園子《そのこ》が聞《き》くと、世良《せら》はなつかしそうに顔《かお》を上《あ》げた。

「あ、いや…ギターケースを背負《しょ》ってる人《ひと》を見《み》ると思《おも》い出《だ》しちゃうんだ…。4年前《ねんまえ》…駅《えき》の向《む》こう側《がわ》のプラットホームにたたずむ…ギターケースを背負《しょ》った秀兄《しゅうにい》をな‼」

(秀兄《しゅうにい》って事《こと》は、やっぱコイツ赤井《あかい》さんの妹《いもうと》か？)

コナンは、探《さぐ》るように世良《せら》の顔《かお》を見《み》た。もしも世良《せら》が、FBI《エフビーアイ》捜査官《そうさかん》をしている赤井秀一《あかいしゅういち》の妹《いもうと》だとしたら、「秀兄《しゅうにい》」という呼《よ》び方《かた》をしていたとしても不思議《ふしぎ》はない。

四年前《よねんまえ》に世良《せら》が見《み》た赤井《あかい》は、ギターを背負《せお》って髪《かみ》を長《なが》く伸《の》ばし、黒《くろ》いニット帽《ぼう》とサングラスで顔《かお》を隠《かく》して駅《えき》のホームに立《た》っていた。隣《となり》には、フードを深《ふか》くかぶった男《おとこ》がいて、同《おな》じようにギターケースを背負《せお》っていた。

「驚《おどろ》いたよ…アメリカに行《い》ってると思《おも》ってたし…秀兄《しゅうにい》が音楽《おんがく》やってる所《ところ》なんか見《み》た事《こと》なかったし…。んで、ボクその時《とき》、友達《ともだち》と映画《えいが》観《み》た帰《かえ》りだったんだけど、走《はし》って秀兄《しゅうにい》と同《おな》じ電《でん》車《しゃ》に飛《と》び乗《の》ったんだ！　どうしても秀兄《しゅうにい》のギターが聴《き》きたくってね！」

「へー…」

「それでそれで？」

蘭《らん》と園子《そのこ》が、興味津々《きょうみしんしん》で先《さき》をうながす。

「何度《なんど》か乗《の》り替《か》えた駅《えき》のホームで、秀兄《しゅうにい》に見《み》つかっちゃって…。『帰《かえ》れ』って怒《おこ》られたんだけど…お金《かね》もないし帰《かえ》り方《かた》もわからないって言《い》ったら…『切符《きっぷ》買《か》って来《き》てやるから待《ま》ってろ』ってボクをホームに残《のこ》して行《い》っちゃったんだ…。ホントは中学生《ちゅうがくせい》だからお金《かね》もあったし、帰《かえ》り方《かた》もわかってたんだけど…秀兄《しゅうにい》にとってボクはまだまだ子供《こども》だったんだと思《おも》ったよ…」

「それで？　言《い》われた通《とお》り待《ま》ってたの？」

蘭《らん》が聞《き》くと、世良《せら》は「ああ」とうなずいた。

「泣《な》きそうな気分《きぶん》でね…。でもさ…その時《とき》、秀兄《しゅうにい》の連《つ》れの男《おとこ》が…『君《きみ》…音楽《おんがく》好《す》きか？』──って言《い》って、ケースからベースを出《だ》してさ…。ボクに教《おし》えてくれたんだ…ドレミの弾《ひ》き方《かた》をね…」

フードを取《と》った連《つ》れの男《おとこ》は、無精《ぶしょう》ひげを生《は》やしていた。切《き》れ長《なが》の目《め》じりと高《たか》い鼻筋《はなすじ》が印象的《いんしょうてき》な顔立《かおだ》ちで、人懐《ひとなつ》こい笑《え》みを浮《う》かべながら世良《せら》にベースを握《にぎ》らせて、一音《いちおん》ずつ丁寧《ていねい》に弾《ひ》き方《かた》を教《おし》えてくれた。

「じゃあ、さっき言《い》ってたベースを教《おし》えてくれた人《ひと》って…」

「その人《ひと》なの？」

蘭《らん》と園子《そのこ》に聞《き》かれ、世良《せら》は「ああ…」とうなずいた。四年前《よねんまえ》に男《おとこ》から教《おし》えてもらったベースの弾《ひ》き方《かた》を、世良《せら》は今《いま》でも覚《おぼ》えているのだ。

「10分《ぷん》ぐらいの間《あいだ》だけだけどね…」

「だったらその人《ひと》、お兄《にい》さんの音楽仲間《おんがくなかま》だったんじゃない？」

蘭《らん》の言葉《ことば》に、世良《せら》は「それはどうかなぁ？」と首《くび》をひねった。

「その人《ひと》がベースを入《い》れてたのはソフトケースなのに…ベースを取《と》り出《だ》しても形《かたち》が崩《くず》れずピンと立《た》ったままだったから…もしかしたらベースはカムフラージュで…別《べつ》の硬《かた》い何《なに》かが入《はい》っていたかも…」

世良《せら》が言《い》うのを聞《き》いて、コナンは（ライフル…）と心《こころ》の中《なか》でつぶやいた。ベースやギターが入《はい》る大《おお》きさのソフトケースならば、ライフルも余裕《よゆう》で収納《しゅうのう》できるだろう。

「その人《ひと》の名前《なまえ》、聞《き》いた？」

「いや…聞《き》いてないけど…」

園子《そのこ》に質問《しつもん》に首《くび》を振《ふ》ると、世良《せら》は声《こえ》を低《ひく》くして続《つづ》けた。

「そのホームに来《き》た別《べつ》の連《つ》れの男《おとこ》が、その人《ひと》の事《こと》をこう呼《よ》んでたよ…。スコッチってね…」

あだ名《な》がスコッチと聞《き》いて、蘭《らん》は「が、外国《がいこく》の人《ひと》？」と驚《おどろ》いた。

「どっからどう見《み》ても日本人《にっぽんじん》だったから…アダ名《な》なんじゃないか？　でもさ…彼《かれ》をそう呼《よ》んだその男《おとこ》…帽子《ぼうし》を目深《まぶか》に被《かぶ》ってたから、顔《かお》はよく見《み》えなかったけど…似《に》てる気《き》がするんだよね…。安室《あむろ》さん…アンタにな!!」

世良《せら》が安室《あむろ》の方《ほう》を振《ふ》り返《かえ》って言《い》う。

キャップを目深《まぶか》にかぶった男《おとこ》は、褐色《かっしょく》の肌《はだ》といい、眉間《みけん》でクロスした前髪《まえがみ》といい、安室《あむろ》にとても似《に》ていたのだ。

しかし安室《あむろ》は動《どう》じずに「人違《ひとちが》いですよ…」とおだやかに否定《ひてい》した。

「そんな昔話《むかしばなし》より、今《いま》、ここで起《お》きた事件《じけん》を解決《かいけつ》しませんか？　君《きみ》も、探偵《たんてい》なんだよね？」

安室《あむろ》に言《い》われ、世良《せら》は納得《なっとく》していないような表情《ひょうじょう》を浮《う》かべながらも、「ああ…そうだな…」と、うなずいた。

警察《けいさつ》はスタジオ内《ない》をくまなくチェックして、萩江《はぎえ》を殺《ころ》した凶器《きょうき》をさがした。しかし、何《なに》も見《み》つからず、容疑者《ようぎしゃ》たちを再《ふたた》びボディーチェックすることにした。

「ええっ!? もう一度《いちど》ボディーチェックしたい!? さっきさんざん調《しら》べたじゃない!?」

あからさまにボディーチェックを嫌《いや》がる染花《そめか》を、「いや、念《ねん》の為《ため》に…」と高木刑事《たかぎけいじ》がなだめる。

「もしかして、まだ凶器《きょうき》が見《み》つかってないんじゃ…」

留海《るみ》に図星《ずぼし》をつかれて、高木刑事《たかぎけいじ》は黙《だま》り込《こ》んでしまった。

「だから、私《わたし》らがどっかに隠《かく》し持《も》ってるって…」と、唯子《ただこ》。

「まさか、飲《の》み込《こ》んだとか思《おも》ってんじゃないの!? じゃあレントゲンでも何《なん》でも撮《と》りなよ!!」と、染花《そめか》。唯子《ただこ》も「いいよ…それで疑《うたが》いが晴《は》れるなら…」と同意《どうい》する。

「それより、他《ほか》のバンドの人達《ひとたち》は調《しら》べたんですか?」

留海《るみ》が聞《き》くと、高木刑事《たかぎけいじ》は「いや…それはまだ…」と、気《き》まずそうに答《こた》えた。

「萩江《はぎえ》って、よく他《ほか》のバンドとモメてたから…恨《うら》み買《か》ってたかも…。この前《まえ》もライブハウスで一緒《いっしょ》になったバンドに…」

留海《るみ》は暗《くら》い表情《ひょうじょう》で、以前《いぜん》、あるライブハウスで起《お》きた出来事《できごと》について話《はな》し始《はじ》めた。

ライブハウスにいた萩江《はぎえ》たちを、ほかのバンドの男《おとこ》たちが「何《なん》だ…アンタらまだバンドやってんだ…」と挑発《ちょうはつ》してきたのだ。

「ボーカルがおっ死《ち》んだっていうのによー…ソバカスのコイツだろ？　代《か》わりにボーカルさせられてるの…」

「かわいそーに…まあ自慢《じまん》のボーカルが喉潰《のどつぶ》して自殺《じさつ》しちまったんだから…しゃーねぇよな？」

男《おとこ》たちの心無《こころな》い言葉《ことば》にキレた萩江《はぎえ》は、ドラムのスティックを握《にぎ》りしめて男《おとこ》たちに食《く》ってかかり、結局《けっきょく》、大《おお》ゲンカにまで発展《はってん》してしまった。あの時《とき》の男《おとこ》たちが、萩江《はぎえ》のことを恨《うら》んでいたとしても不思議《ふしぎ》はない。

「自殺《じさつ》したボーカルって…？」

「首頭朱音《しゅとうあかね》っていうきれいな歌声《うたごえ》の子《こ》だったよ…。無茶《むちゃ》して喉《のど》を潰《つぶ》したのは本当《ほんとう》さ…」

高木刑事《たかぎけいじ》の質問《しつもん》に、唯子《ただこ》が答《こた》えた。

「でも、自殺《じさつ》じゃなく交通事故《こうつうじこ》って聞《き》いたけど…」

染花《そめか》が言《い》うと、留海《るみ》も「そうそう、車《くるま》にはねられたって…」とうなずいた。

いずれにしても、萩江《はぎえ》がほかのバンドのメンバーから恨《うら》みを買《か》っていたのなら、犯人《はんにん》はその中《なか》にいるのかもしれない。目暮警部《めぐれけいぶ》は、隣《となり》にいる高木刑事《たかぎけいじ》に「おい…」とささやいた。

「彼女達《かのじょたち》が借《か》りたスタジオの防犯《ぼうはん》カメラが半分遮《はんぶんさえぎ》られていたのは、受付《うけつけ》のモニターを見《み》れば外部《がいぶ》の人間《にんげん》でもわかるよな？」

「ええ…彼女達《かのじょたち》がいつもそうやってた事《こと》を知《し》っていた人物《じんぶつ》なら、それがどのスタジオかは探《さが》せばわかったかも…」

「じゃあ外部犯《がいぶはん》があの状況《じょうきょう》を利用《りよう》してスタジオにこっそり入《はい》り…。絞殺《こうさつ》して凶器《きょうき》を持《も》ち去《さ》ったって事《こと》も考《かんが》えられる…。彼女達《かのじょたち》の言《い》う通《とお》り、他《ほか》のバンドメンバーも調《しら》べる必要《ひつよう》がありそうだ…」

「あ、でも…この3人《にん》だけマークしてましたから…2、3グループ帰《かえ》してしまいましたけど…」

もしほかのグループに犯人《はんにん》がいるのなら、スタジオの外《そと》で凶器《きょうき》を処分《しょぶん》されてしまうかもしれない。目暮警部《めぐれけいぶ》はあわてて、

「そのグループの連絡先《れんらくさき》を受付《うけつけ》で聞《き》いて呼《よ》び戻《もど》せ!!」

と、高木刑事《たかぎけいじ》に指示《しじ》を出《だ》した。

「は、はい!!」

高木刑事《たかぎけいじ》があわてて受付《うけつけ》に走《はし》って行《い》くと、コナンはロビーで待機《たいき》している容疑者《ようぎしゃ》たちに向《む》かって、

「ねえ、お姉《ねえ》さん達《たち》…誰《だれ》が最初《さいしょ》にバンドやろって言《い》い出《だ》したの?」

と声《こえ》をかけた。

三人《さんにん》が、「え?」と声《こえ》をそろえて振《ふ》り返《かえ》る。

最初《さいしょ》に口《くち》を開《ひら》いたのは、唯子《ただこ》だった。

「萩江《はぎえ》だよ…。私《わたし》ら、女子大《じょしだい》の同級生《どうきゅうせい》だったんだけど、『いいボーカル見《み》つけた』って朱《あか》音《ね》を連《つ》れて来《き》てバンドを始《はじ》めたんだ…」

「朱音《あかね》は歌《うた》だけじゃなく、ギターやベースやキーボードも出来《でき》たから、色々《いろいろ》教《おし》えてくれた

しね…」

留海《るみ》がなつかしそうに言《い》う。

「その代《か》わり朱音《あかね》は、女《おんな》の子《こ》っぽい事何《ことなに》も出来《でき》なくてさー…。料理《りょうり》を教《おし》えたのは萩江《はぎえ》で…メイクの仕方《しかた》やファッション系《けい》は私《わたし》…」と、染花《そめか》。

「私《わたし》も朱音《あかね》に、裁縫《さいほう》や刺繍《ししゅう》を教《おし》えようとしたんだけど…結局《けっきょく》、長続《ながつづ》きしなかったよ…。モノになったのは、留海《るみ》が教《おし》えた編《あ》み物《もの》だけだったね…」

唯子《ただこ》が言《い》うと、留海《るみ》も「ええ…」とうなずいた。

「でも、朱音《あかね》と一緒《いっしょ》に教《おし》えた唯子達《ただこたち》の方《ほう》が、私《わたし》より上手《うま》くなっちゃって…。最近《さいきん》はもうやってないけどね…」

ガールズバンドのメンバーたちは、女子大《じょしだい》の同級生時代《どうきゅうせいじだい》から、お互《たが》いに色々《いろいろ》なことを教《おし》え合《あ》っていたようだ。

「そーいえば、スタジオで撮《と》ってたっていう練習《れんしゅう》の動画観《どうがみ》たいなー！」

コナンが子《こ》どもらしい口調《くちょう》で言《い》うと、留海《るみ》は「いいわよ！」と快《こころよ》くスマホを出《だ》した。

「練習《れんしゅう》してない時《とき》は電源切《でんげんき》ってたから、さすがに犯人《はんにん》とかは映《うつ》ってないけど…ホラ！」

留海《るみ》が見《み》せてくれたスマホの画面《がめん》には、バンドの練習風景《れんしゅうふうけい》を縦《たて》に撮影《さつえい》した画像《がぞう》が表示《ひょうじ》されていた。右上《みぎうえ》には、床《ゆか》に固定《こてい》されたドラムを叩《たた》く萩江《はぎえ》。左上《ひだりうえ》には、キーボードを弾《ひ》く留海《るみ》。手前《てまえ》には、立《た》ってギターを弾《ひ》く染花《そめか》と唯子《ただこ》の姿《すがた》がそれぞれ映《うつ》っている。

「これって警察《けいさつ》に提出《ていしゅつ》したんじゃなかった？」

唯子《ただこ》がスマホの画面《がめん》をのぞき込《こ》んで言《い》う。

「事件《じけん》に関係《かんけい》なさそうだからって、さっき刑事《けいじ》さんが返《かえ》してくれたわ…」

留海《るみ》が言《い》うと、染花《そめか》はしんみりとして「萩江《はぎえ》との最後《さいご》の演奏《えんそう》だしな…」とつぶやいた。

世良《せら》と安室《あむろ》も寄《よ》って来《き》て、スマホの画像《がぞう》をのぞき込《こ》む。

「何《なん》で縦《たて》なんだ？」と、世良《せら》。

「横《よこ》の方《ほう》が納《おさ》まりがいい気《き》がしますが…」と、安室《あむろ》。

「横《よこ》だと足元《あしもと》が切《き》れちゃうから…縦《たて》にしようって事《こと》になったんだよね？」

唯子《ただこ》が言《い》うと、染花《そめか》と留海《るみ》も「ああ…」「TV画面《テレビがめん》と違《ちが》って面白《おもしろ》いしね…」とうなずいた。

留海《るみ》の見《み》せてくれた画像《がぞう》は、一見《いっけん》すると、ごく普通《ふつう》のバンドの練習風景《れんしゅうふうけい》だ。しかし、よく見《み》ると、そこには犯人《はんにん》を特定《とくてい》するための重大《じゅうだい》な手掛《てが》かりが映《うつ》っている。

（なるほどな…）

世良《せら》が心《こころ》の中《なか》でつぶやき、安室《あむろ》も（そういう事《こと》ですか…）と、コナンと共《とも》にニヤリと笑《わら》った。


高木刑事《たかぎけいじ》は、すでにスタジオを出《で》ていたほかのバンドのメンバーのうち、すぐに連絡《れんらく》のついた何人《なんにん》かを呼《よ》び戻《もど》して、ボディーチェックを実施《じっし》した。しかし、凶器《きょうき》らしきものは見《み》つからない。

「おいおい…まだ凶器《きょうき》が見《み》つからんのか!?」

目暮警部《めぐれけいぶ》に急《せ》かされ、高木刑事《たかぎけいじ》は「は、はい…」と力《ちから》なくうなずいた。

「被害者《ひがいしゃ》の山路萩江《やまじはぎえ》さんは、ヒモ状《じょう》の凶器《きょうき》で絞殺《こうさつ》されていて…絞《し》められた時《とき》に抵抗《ていこう》してできる吉川線《よしかわせん》も頸部《けいぶ》に残《のこ》っていた…。つまり、山路《やまじ》さんの血《ち》が付着《ふちゃく》した凶器《きょうき》が、この貸《か》しスタジオのどこかにあるはず…。なのに、なぜ見《み》つからん!?」

「一応《いちおう》、弦《げん》の類《たぐ》いは全《すべ》て調《しら》べましたが…ルミノール反応《はんのう》は出《で》ませんでした…」

「そういえば、被害者《ひがいしゃ》と同《おな》じバンドのメンバーの木船染花《きぶねそめか》さんが、ギターの弦《げん》を張《は》り替《か》えていたが…」

高木刑事《たかぎけいじ》は「もちろんそのギターは真《ま》っ先《さき》に調《しら》べましたが、何《なに》も…」と暗《くら》い声《こえ》で答《こた》えた。

「じゃあ、ヒモを細《こま》かく切《き》ってトイレに流《なが》したとか？」

「一応《いちおう》それも考《かんが》えましたが…同《おな》じバンドメンバーの笛川唯子《ふえかわただこ》さんが所持《しょじ》していたソーイングセットのハサミや…同《おな》じくメンバーの小暮留海《こぐれるみ》さんが持《も》っていた爪切《つめき》りも調《しら》べましたが何《なに》も出《で》ませんでした…。血《ち》が付《つ》いたヒモを切《き》れば、血液反応《けつえきはんのう》が出《で》るはずですから…」

「ではやはり、彼女達《かのじょたち》のバンドとは別《べつ》のバンドの人間《にんげん》が山路《やまじ》さんを絞殺《こうさつ》し、凶器《きょうき》は外《そと》へ持《も》ち出《だ》してしまったのか…」

「…その場合《ばあい》、凶器《きょうき》はもう捨《す》てられてしまっていると思《おも》いますが…」

これだけさがしても凶器《きょうき》が見《み》つからないのだから、犯人《はんにん》は被害者《ひがいしゃ》と同《おな》じバンドメンバーの中《なか》にはいないのかもしれない。

目暮警部《めぐれけいぶ》は「ウーム…」と難《むずか》しい顔《かお》でうなった。

「今《いま》、警察《けいさつ》で科捜研《カケン》が調《しら》べている山路《やまじ》さんの遺体《いたい》の爪《つめ》から、犯人《はんにん》の皮膚片《ひふへん》でも見《み》つかれば、手掛《てが》かりになるとは思《おも》うが…」

「後《うし》ろから絞《し》められているようですし…犯人《はんにん》をひっかいた可能性《かのうせい》は低《ひく》いですね…」

「それで？　帰《かえ》してしまった他《ほか》のバンドは全員呼《ぜんいんよ》び戻《もど》したのか？」

「それが…連絡《れんらく》の取《と》れない人《ひと》が2、3人《にん》いまして…全員《ぜんいん》とは…」

目暮警部《めぐれけいぶ》と高木刑事《たかぎけいじ》が話《はな》し合《あ》っていると、世良《せら》が、

「その必要《ひつよう》はないよ！　犯人《はんにん》はまだここから逃《に》げてないからな！」

と、口《くち》を挟《はさ》んできた。コナンと安室《あむろ》も一緒《いっしょ》だ。

ほかのバンドのメンバーと連絡《れんらく》を取《と》る必要《ひつよう》がないということは、スタジオ内《ない》にいる唯子《ただこ》、染花《そめか》、留海《るみ》の誰《だれ》かが犯人《はんにん》だと、世良《せら》は言《い》いたいのだろうか？

「逃《に》げてないって…」

「じゃあ犯人《はんにん》は…」

不可解《ふかかい》そうな表情《ひょうじょう》を浮《う》かべる高木刑事《たかぎけいじ》と目暮警部《めぐれけいぶ》に、安室《あむろ》が「ええ…」とうなずく。

「山路《やまじ》さんと同《おな》じバンドメンバーの、あの3人《にん》の中《なか》にいるという事《こと》ですよ…」

「とにかく行《い》ってみようよ！」

コナンが、明《あか》るい口調《くちょう》で提案《ていあん》した。

「その3人《にん》のお姉《ねえ》さん達《たち》が待《ま》たされてる…地下《ちか》の休憩所《きゅうけいじょ》にね！」


コナンたちは地下《ちか》の休憩所《きゅうけいじょ》へと移動《いどう》して、容疑者《ようぎしゃ》の三人《さんにん》に会《あ》いに行《い》った。この中《なか》に犯人《はんにん》がいる——と、高木刑事《たかぎけいじ》が告《つ》げると、染花《そめか》が真《ま》っ先《さき》に「はぁ⁉」と怒《おこ》り出《だ》した。

「私達《わたしたち》の中《なか》に萩江《はぎえ》を殺《ころ》した犯人《はんにん》がいる⁉　まだそんな事言《ことい》ってんの⁉」

「あ、いえ…そう言《い》っているのは我々警察《われわれけいさつ》ではなく…捜査協力《そうさきょうりょく》をしてもらってる…彼《かれ》らが…」

高木刑事《たかぎけいじ》が、コナンと世良《せら》、安室《あむろ》の方《ほう》を目《め》でさして言《い》う。

それを聞《き》いた三人《さんにん》は、いよいよ不満《ふまん》を爆発《ばくはつ》させた。

「探偵《たんてい》だか何《なん》だか知《し》らないけどさあー…」と、染花《そめか》。

「私《わたし》ら3人共《にんとも》、ヒモ状《じょう》の凶器《きょうき》を持《も》ってないんだから…」と、唯子《ただこ》。

「疑《うたが》う理由《りゆう》はないと思《おも》いますけど…」と、留海《るみ》。

確《たし》かに彼女《かのじょ》たちの言《い》う通《とお》り、萩江《はぎえ》を絞殺《こうさつ》した凶器《きょうき》は結局《けっきょく》まだ見《み》つかっていない。

「どこかに凶器《きょうき》を捨《す》てたって言《い》うなら、この貸《か》しスタジオを探《さが》せば見《み》つかるはずだけど…」

「見《み》つかったんですか？」

唯子《ただこ》と留海《るみ》に問《と》い詰《つ》められ、高木刑事《たかぎけいじ》は「い、いや…それはまだ…」と、語尾《ごび》を弱《よわ》くした。

「だったらウチらはシロだろ？　もう帰《かえ》してくれない!?」

ますます苛立《いらだ》つ染花《そめか》に、安室《あむろ》が涼《すず》しい声《こえ》で告《つ》げる。

「見《み》つかるわけありませんよ…。凶器《きょうき》はもうすでに…この貸《か》しスタジオから外《そと》へ持《も》ち出《だ》されてしまっているんですから…」

犯人《はんにん》はこの中《なか》の誰《だれ》かだが、凶器《きょうき》はすでに外《そと》に持《も》ち出《だ》されている——矛盾《むじゅん》したことを言《い》われ、三人《さんにん》は一斉《いっせい》に反論《はんろん》した。

「ちょっと、何言《なにい》ってんの!?」

「私《わたし》ら、ここから一歩《いっぽ》も外《そと》に出《で》てないんだよ？」

「なのにどうやって凶器《きょうき》を外《そと》に…」

「だーからー…持《も》ち出《だ》したのはアンタらじゃなく…警察《けいさつ》だって言《い》ってんだ！」

世良《せら》が断定口調《だんていくちょう》で言《い》うと、目暮警部《めぐれけいぶ》は「え？」と目《め》を丸《まる》くした。凶器《きょうき》を警察《けいさつ》が持《も》ち去《さ》ったとは、いったいどういうことなのだろう。

「今《いま》、被害者《ひがいしゃ》が身《み》に付《つ》けていた遺留品《いりゅうひん》を、警察《けいさつ》に持《も》ち帰《かえ》って色々調《いろいろしら》べてんだろ？」

「あ、ああ…」

目暮警部《めぐれけいぶ》があいまいにうなずく。

「でも、遺留品《いりゅうひん》の中《なか》にヒモ状《じょう》の物《もの》は何《なに》も…」

不可解《ふかかい》そうな高木刑事《たかぎけいじ》に向《む》かって、世良《せら》はさらに質問《しつもん》を重《かさ》ねた。

「ヒモ状《じょう》の物《もの》が編《あ》み込《こ》まれて、形《かたち》を変《か》えてたとしたら？」

「ま、まさかそれって…」

「ああ…。萩江《はぎえ》さんが被《かぶ》ってたニット帽《ぼう》…。凶器《きょうき》は、それに編《あ》み込《こ》まれた毛糸《けいと》だよ！」

高木刑事《たかぎけいじ》は「け、毛糸《けいと》を編《あ》み込《こ》んだ!?」と声《こえ》を裏返《うらがえ》して驚《おどろ》いた。

「恐《おそ》らく犯人《はんにん》は、あらかじめ萩江《はぎえ》さんのニット帽《ぼう》と同《おな》じ色《いろ》の毛糸《けいと》を用意《ようい》していたんでしょう…」

安室《あむろ》が、世良《せら》の推理《すいり》を引《ひ》き継《つ》いで言《い》う。

「そして、彼女《かのじょ》をその毛糸《けいと》で絞殺《こうさつ》した後《あと》…ニット帽《ぼう》の先端《せんたん》に付《つ》いてる飾《かざ》りを一旦《いったん》取《と》り、取《と》った部分《ぶぶん》の毛糸《けいと》に凶器《きょうき》の毛糸《けいと》を結《むす》んで編《あ》み込《こ》み、再《ふたた》び飾《かざ》りを取《と》り付《つ》けて彼女《かのじょ》に被《かぶ》せたんです…。ニット帽《ぼう》の折《お》り返《かえ》しを少《すこ》し多目《おおめ》にすれば、そんなに気《き》にはなりませんから…」

遺体《いたい》がかぶっていたニット帽《ぼう》の折《お》り返《かえ》しは、萩江《はぎえ》が生《い》きていた時《とき》よりも少《すこ》し長《なが》くなっていた。コナンも安室《あむろ》も世良《せら》もそのことに気《き》がついていたのだ。

「し、しかし…編《あ》み物《もの》をする時《とき》って…棒針《ぼうばり》っていう先《さき》のとがった棒《ぼう》を2本使《ほんつか》いますよね？でも彼女達《かのじょたち》は、誰《だれ》もそんな物《もの》を持《も》ってなかったですよ？」

高木刑事《たかぎけいじ》がおずおずと疑問《ぎもん》をさしはさむと、コナンが即座《そくざ》に答《こた》えた。

「あったじゃない、死《し》んだお姉《ねえ》さんのそばに！」

「あ、あった？」

「ホラ、お姉《ねえ》さんの左横《ひだりよこ》のスネアっていうドラムの上《うえ》に載《の》ってた…ドラムを叩《たた》くドラムスティックだよ!!　あの2本《ほん》の棒《ぼう》をうまく使《つか》えば、編《あ》み物《もの》できるんじゃないかなあ？」

「た、確《たし》かに…できなくはなさそうだが…」

目暮警部《めぐれけいぶ》が、困惑《こんわく》しながらもうなずく。

萩江《はぎえ》の遺体《いたい》のそばにあったドラムスティックが、凶器《きょうき》となった毛糸《けいと》を帽子《ぼうし》に編《あ》み込《こ》むために使《つか》われていたのだとしたら、萩江《はぎえ》が眠《ねむ》ってからスタジオの中《なか》に入《はい》った染花《そめか》、唯子《ただこ》、留海《るみ》の中《なか》の誰《だれ》かが、やはり犯人《はんにん》だということになる。高木刑事《たかぎけいじ》は三人《さんにん》の顔《かお》を見《み》まわし、改《あらた》めて遺体発見前《いたいはっけんまえ》の状況《じょうきょう》を整理《せいり》した。

「3人共《にんとも》、寝《ね》ている萩江《はぎえ》さんを起《お》こす為《ため》にスタジオに入《はい》った時間《じかん》は10分程度《ぷんていど》で…唯子《ただこ》さんは染花《そめか》さんの上着《うわぎ》の取《と》れかけたボタンを付《つ》けていたし…」

「ほ、ほつれてた袖《そで》も直《なお》したよ！」

唯子《ただこ》が、すかさず主張《しゅちょう》する。

「その染花《そめか》さんは切《き》れたギターの弦《げん》を張《は》り替《か》えていたし…」

「チューニングもしたって言《い》っただろ？」

と、染花《そめか》もあわてて口《くち》を挟《はさ》んだ。

「留海《るみ》さんは曲《きょく》の直《なお》しをやっていたんですよね？」

「ええ…キーボードを弾《ひ》きながら…」

留海《るみ》がうなずいて言《い》う。

三人《さんにん》の主張《しゅちょう》を信《しん》じるなら、スタジオで編《あ》み物《もの》をしていた人《ひと》はいなかったことになる。高《たか》木《ぎ》刑事《けいじ》はすっかり困《こま》ってしまった。

「3人共《にんとも》、編《あ》み物《もの》をしてる時間《じかん》はなかったんじゃ…」

「その中《なか》で、1人《り》だけいるじゃないですか…。事前《じぜん》にそれを準備《じゅんび》できる人《ひと》が…。小暮《こぐれ》留海《るみ》さん…あなたですよ!!」

安室《あむろ》に名指《なざ》しされ、留海《るみ》が息《いき》をのんで黙《だま》り込《こ》む。

高木刑事《たかぎけいじ》はすぐにピンときて、「そ、そうか！」と叫《さけ》んだ。

「染花《そめか》さんのジャケットのボタンが取《と》れかかっていたのも…ギターの弦《げん》が切《き》れたのも偶然《ぐうぜん》…。しかもそのギターは今日《きょう》、この店《みせ》で借《か》りたギターだから、前《まえ》もって弦《げん》が切《き》れやすくする細工《さいく》もできないし…」

「その点《てん》、曲《きょく》の直《なお》しなら、あらかじめ自宅《じたく》でやっておけば…現場《げんば》でその通《とお》りに楽譜《がくふ》を書《か》き直《なお》せばいいという事《こと》か…」

目暮警部《めぐれけいぶ》が納得《なっとく》して言《い》うと、世良《せら》が「それに」と口《くち》を開《ひら》いた。

「留海《るみ》さんは他《ほか》の2人《り》と違《ちが》って…防犯《ぼうはん》カメラに背《せ》を向《む》けていて、手元《てもと》が全《まった》く見《み》えなかったから…キーボードを弾《ひ》いてるフリして、編《あ》み物《もの》ぐらいできるよな？　人《ひと》に教《おし》える程《ほど》、編《あ》み物《もの》ができたみたいだしね…」

「で、でも編《あ》み物《もの》なら私《わたし》だってできるし…」

「そもそも防犯《ぼうはん》カメラを半分隠《はんぶんかく》さなきゃ、そんな犯行《はんこう》できないだろ？」

唯子《ただこ》と染花《そめか》があわてて反論《はんろん》する。二人《ふたり》とも、バンドの仲間《なかま》である留海《るみ》が犯人《はんにん》だとは、まったく信《しん》じられないようだ。

「だよな？　留海《るみ》…」

染花《そめか》に同意《どうい》を求《もと》められ、留海《るみ》は動揺《どうよう》しながらも「ええ…」とうなずいた。

「携帯《けいたい》をセットした自撮《じど》り棒《ぼう》をマイクスタンドに取《と》り付《つ》け、それを置《お》いた場所《ばしょ》が防犯《ぼうはん》カメラの前《まえ》になったのは偶然《ぐうぜん》です…。携帯《けいたい》の画像《がぞう》を見《み》ながら、この3人《にん》で色々意見《いろいろいけん》を出《だ》し合《あ》って位置《いち》を決《き》めたんですから…。それとも私達《わたしたち》がしめし合《あ》わせて、防犯《ぼうはん》カメラを遮《さえぎ》るように置《お》いたとでも言《い》うんですか？」

「そのカラクリはわかりましたよ…。携帯《けいたい》に録画《ろくが》されていたあなた方《がた》の演奏《えんそう》の動画《どうが》を観《み》てね…」

安室《あむろ》が冷静《れいせい》に言《い》うと、高木刑事《たかぎけいじ》はあごに手《て》をあてて、「ああ…その動画《どうが》なら自分《じぶん》も観《み》ましたけど、特《とく》に何《なに》も…」と首《くび》をひねった。

「もう一度観《いちどみ》せて頂《いただ》けますか？」

目暮警部《めぐれけいぶ》に頼《たの》まれ、留海《るみ》は「は、はい…」と携帯《けいたい》を差《さ》し出《だ》した。

改《あらた》めて演奏中《えんそうちゅう》の動画《どうが》を確認《かくにん》するが、特《とく》に変《か》わった様子《ようす》はない。左上《ひだりうえ》にキーボードを弾《ひ》く留海《るみ》、右上《みぎうえ》にドラムを叩《たた》く萩江《はぎえ》、前列左側《ぜんれつひだりがわ》にはギターを弾《ひ》く染花《そめか》、そして前列中央《ぜんれつちゅうおう》にはベース兼《けん》ボーカルの唯子《ただこ》がいるだけだ。

「ウーム…これのどこが？」

首《くび》をひねる目暮警部《めぐれけいぶ》に、安室《あむろ》は「4人《にん》のそれぞれの立《た》ち位置《いち》ですよ！」とさわやかに告《つ》げた。

「立《た》ち位置《いち》？」

「ドラムの場所《ばしょ》は最初《さいしょ》から固定《こてい》されていて動《うご》かせないし…真《ま》ん中《なか》のギターとベースの2人《り》は、どう動《うご》いても画面《がめん》に納《おさ》まりますが…動画《どうが》を撮《と》る携帯《けいたい》の位置《いち》は左上《ひだりうえ》の角《かど》にいる留海《るみ》さん次第《しだい》…。つまり…留海《るみ》さんだけは、キーボードを置《お》く位置《いち》によって携帯《けいたい》の場所《ばしょ》をコントロールできたんですよ…。携帯《けいたい》が丁度半分《ちょうどはんぶん》、防犯《ぼうはん》カメラに被《かぶ》るようにね…」

四人《よにん》の中《なか》で唯一《ゆいいつ》、キーボードの留海《るみ》だけが、自撮《じど》り棒《ぼう》の先《さき》につけたスマホがちょうど監視《かんし》カメラを隠《かく》す位置《いち》に来《く》るように誘導《ゆうどう》できたというわけだ。

「キーボードがドラムに近《ちか》づき過《す》ぎれば、携帯《けいたい》の位置《いち》も近《ちか》づいて…防犯《ぼうはん》カメラから離《はな》れてしまい、遮《さえぎ》る事《こと》ができず…逆《ぎゃく》にドラムから離《はな》れれば…携帯《けいたい》も離《はな》れて、防犯《ぼうはん》カメラからフレームアウトしてしまいますから…」

安室《あむろ》の推理《すいり》に追《お》い詰《つ》められ、留海《るみ》は次第《しだい》にうつむきがちになっていった。そこへ、世良《せら》が、自信《じしん》に満《み》ちた口調《くちょう》で追《お》い打《う》ちをかける。

「そうやって防犯《ぼうはん》カメラの映像《えいぞう》を半分遮《はんぶんさえぎ》ったアンタは…スタジオで寝《ね》ている萩江《はぎえ》さんを起《お》こしに行《い》くフリをして、用意《ようい》していた毛糸《けいと》で絞殺《こうさつ》し…その毛糸《けいと》を、萩江《はぎえ》さんのニット帽《ぼう》にドラムスティックで編《あ》み込《こ》んだのさ！　曲《きょく》を直《なお》しているかのように装《よそお》ってな！　そしてそのニット帽《ぼう》を萩江《はぎえ》さんに被《かぶ》せて、何《なに》くわぬ顔《かお》で休憩所《きゅうけいじょ》に戻《もど》った…。どこか間違《まちが》ってるか？」

留海《るみ》は「……」と沈黙《ちんもく》してしまう。

「し、しかし…萩江《はぎえ》さんがドラムの所《ところ》で寝《ね》ると、わかっていないと…」

目暮警部《めぐれけいぶ》が疑問《ぎもん》をさしはさむが、安室《あむろ》はよどみなく答《こた》えた。

「確《たし》か、染花《そめか》さんが言《い》ってましたよね？　萩江《はぎえ》さんが寝《ね》る時《とき》は、いつもそうだったと…。いつもそうだったのなら、萩江《はぎえ》さんの飲《の》み物《もの》に睡眠薬《すいみんやく》でも混《ま》ぜておけば…仮眠《かみん》を取《と》るといって萩江《はぎえ》さんが1人《り》でスタジオに戻《もど》り、ドラムに突《つ》っ伏《ぷ》して寝《ね》てしまう事《こと》は想定《そうてい》できますよ…。まあ、この貸《か》しスタジオのゴミ箱《ばこ》を全《すべ》て調《しら》べれば、睡眠薬《すいみんやく》が付《つ》いたペットボトルが見《み》つかるでしょうけど…」

「よーし、探《さが》せ！」

目暮警部《めぐれけいぶ》が指示《しじ》を飛《と》ばし、高木刑事《たかぎけいじ》は「はい!!」と威勢《いせい》よく返事《へんじ》をして走《はし》って行《い》く。

「あ、それと、被害者《ひがいしゃ》のニット帽《ぼう》を調《しら》べるように鑑識《かんしき》に伝《つた》えろ！」

「わかりました!!」

ガチャッとドアを開《あ》けて高木刑事《たかぎけいじ》が出《で》て行《い》くと、目暮警部《めぐれけいぶ》は留海《るみ》の方《ほう》に向《む》き直《なお》った。

「では、小暮留海《こぐれるみ》さん…署《しょ》まで御同行願《ごどうこうねが》えますか？」

唯子《ただこ》は「る、留海《るみ》…」と声《こえ》を震《ふる》わせ、染花《そめか》も言葉《ことば》を失《うしな》って留海《るみ》を見《み》つめた。

「で、でも…」

留海《るみ》はうつむいていた顔《かお》を跳《は》ね上《あ》げると、「ハサミは？」と目暮警部《めぐれけいぶ》に詰《つ》め寄《よ》った。

「毛糸《けいと》を切《き》るハサミがないと、ニット帽《ぼう》のポンポンは取《と》れないでしょ？」

「爪切《つめき》りを使《つか》ったんだろ？」

間髪《かんはつ》いれず、世良《せら》が指摘《してき》する。

「爪《つめ》を伸《の》ばしていれば、唯子《ただこ》さんが貸《か》してくれると踏《ふ》んで…」

「そ、それはみんなあなた達《たち》の想像《そうぞう》でしょ？　私《わたし》がやったなんて証拠《しょうこ》、どこにもないじゃない!!」

「バレバレだよ…」

そう言《い》って、コナンは留海《るみ》の手《て》を取《と》った。

「え？」

「だってお姉《ねえ》さん、せっかく爪切《つめき》り借《か》りたのに、爪切《つめき》ってないじゃない！」

留海《るみ》はサッと青《あお》ざめた。

確《たし》かに、唯子《ただこ》からわざわざ爪切《つめき》りを借《か》りたにもかかわらず、留海《るみ》の爪《つめ》は長《なが》いままだ。

「これって、今日《きょう》はもう演奏《えんそう》どころじゃなくなるって…わかってたって事《こと》だよね？　爪《つめ》なんか切《き》る必要《ひつよう》はないって…」

「それに、凶器《きょうき》の毛糸《けいと》から萩江《はぎえ》さんの血《ち》と共《とも》に出《で》てくると思《おも》いますよ？　あなたの指紋《しもん》も…。現在《げんざい》の科学捜査《かがくそうさ》では硬式《こうしき》のテニスボールのフワフワした表面《ひょうめん》からでも指紋《しもん》を採取《さいしゅ》する事《こと》ができるそうですから…」

コナンと安室《あむろ》がたたみかけると、留海《るみ》はいよいよ返《かえ》す言葉《ことば》を失《な》くし、すっかり押《お》し黙《だま》ってしまった。代《か》わりに染花《そめか》と唯子《ただこ》が、留海《るみ》を守《まも》るように立《た》ちはだかる。

「そんなのデタラメだよ!!　留海《るみ》が、あのニット帽《ぼう》を殺人《さつじん》の道具《どうぐ》に使《つか》うなんて!!」

「そうだよ！　だってあれは、留海《るみ》と一番仲《いちばんなか》が良《よ》かった朱音《あかね》が編《あ》んだ…」

二人《ふたり》の反論《はんろん》を遮《さえぎ》るように、留海《るみ》は「そうよ…」と力《ちから》なくつぶやいた。

「あの朱音《あかね》が編《あ》んだニット帽《ぼう》だったから…わざわざ使《つか》ったのよ…朱音《あかね》の恨《うら》みを思《おも》い知《し》れってね!!」

喚《わめ》くように感情《かんじょう》をぶちまけた留海《るみ》を、染花《そめか》と唯子《ただこ》は「え？」と驚《おどろ》いて見《み》つめた。

「知《し》ってるでしょ？　朱音《あかね》が、喉《のど》を潰《つぶ》した訳《わけ》…」

「た、確《たし》か酔《よ》った萩江《はぎえ》に言《い》われたんだよね…」

「もっと歌声《うたごえ》に深《ふか》みが欲《ほ》しいって…」

唯子《ただこ》と染花《そめか》が順番《じゅんばん》に答《こた》えると、留海《るみ》は「そうよ！」と吐《は》き捨《す》てた。

「それを真《ま》に受《う》けて、朱音《あかね》…飲《の》めない酒《さけ》でうがいして、クッションを顔《かお》に押《お》し当《あ》てて大声《おおごえ》を出《だ》して…なんとかハスキーボイスになったのに、萩江《はぎえ》は…」

朱音《あかね》は、萩江《はぎえ》の希望《きぼう》にそう声《こえ》になれるよう、必死《ひっし》の努力《どりょく》を重《かさ》ねたのだ。そんな朱音《あかね》に萩《はぎ》江《え》が投《な》げつけた言葉《ことば》を思《おも》い出《だ》し、留海《るみ》は表情《ひょうじょう》に悔《くや》しさをにじませた。

「『何《なん》だよ？　その声《こえ》…。前《まえ》の方《ほう》が良《よ》かったよ…。仕方《しかた》ないから次《つぎ》のライブのボーカルは唯子《ただこ》がやりな！　朱音《あかね》は歌《うた》うな!!』——って言《い》ったのよ!?　あんまりじゃない!?　その数《すう》日後《じつご》に、朱音《あかね》は車《くるま》に飛《と》び込《こ》んで自殺《じさつ》…その朱音《あかね》の無念《むねん》を晴《は》らさせてもらったってわけ…」

染花《そめか》が「いや…あれは交通事故《こうつうじこ》で…」と口《くち》を挟《はさ》もうとするが、留海《るみ》は興奮《こうふん》して「自殺《じさつ》よ、自殺《じさつ》!!」と喚《わめ》いた。

「でなきゃ、あの朱音《あかね》が信号無視《しんごうむし》なんて…」

「違《ちが》うよ、留海《るみ》…」

唯子《ただこ》は、やりきれない表情《ひょうじょう》で、留海《るみ》に告《つ》げた。

「信号無視《しんごうむし》して車道《しゃどう》に飛《と》び出《だ》したのは、どこかの男《おとこ》の子《こ》で…朱音《あかね》はその子《こ》を助《たす》けようとして、車《くるま》に轢《ひ》かれたんだから…」

「え？」

留海《るみ》は目《め》を見開《みひら》くと、「ウ、ウソよ…」と声《こえ》を震《ふる》わせた。

「だって萩江《はぎえ》、朱音《あかね》の葬式《そうしき》の時《とき》、言《い》ってたもの…。『朱音《あかね》が死《し》んだのは自分《じぶん》のせい』だって…」

「それはきっと、朱音《あかね》が萩江《はぎえ》の言《い》い付《つ》けを守《まも》ったからだよ…。『喉《のど》が治《なお》るまで絶対《ぜったい》に声《こえ》は出《だ》すな…。その程度《ていど》のかれ具合《ぐあい》なら、絶対《ぜったい》に元《もと》のきれいな歌声《うたごえ》に戻《もど》るから』って…。『酔《よ》った勢《いきお》いでバカな事言《ことい》ってゴメン』ってね…」

「だから朱音《あかね》…。その子《こ》に『危《あぶ》ない』って声《こえ》をかける前《まえ》に体《からだ》で助《たす》けようとしたって、事故《じこ》を見《み》てた人達《ひとたち》が…」

「留海《るみ》は知《し》らなかったんだ…。朱音《あかね》が死《し》んだショックで、寝込《ねこ》んでたから…」

二人《ふたり》から真実《しんじつ》を知《し》らされ、留海《るみ》の目《め》に涙《なみだ》があふれた。

「そ、そんな…私《わたし》、どうしよ…萩江《はぎえ》を…そんな…」

留海《るみ》は、萩江《はぎえ》が朱音《あかね》に謝《あやま》っていたことも、朱音《あかね》が萩江《はぎえ》との約束《やくそく》を守《まも》ろうとしていたことも知《し》らなかった。その結果《けっか》、勘違《かんちが》いから、罪《つみ》のない萩江《はぎえ》を殺《ころ》してしまったのだ。

自分《じぶん》が取《と》り返《かえ》しのつかないことをしでかしたと気《き》づき、留海《るみ》は大声《おおごえ》を上《あ》げて泣《な》き崩《くず》れた。

「うわあああ！」

後悔《こうかい》の絶叫《ぜっきょう》が貸《か》しスタジオにこだました…。

殺人者《さつじんしゃ》の声《こえ》がかれるまで…。


留海《るみ》は罪《つみ》を認《みと》め、高木刑事《たかぎけいじ》に連行《れんこう》されていった。

スタジオを出《で》て行《い》く留海《るみ》の姿《すがた》を見《み》て、園子《そのこ》は「ウソ…」と驚《おどろ》いた。

「あのキーボードの女《おんな》の人《ひと》が、犯人《はんにん》なの？」

「ああ…」

世良《せら》がうなずく。

蘭《らん》は悲《かな》しげに留海《るみ》を見送《みおく》り、それから気持《きも》ちを切《き》り替《か》えて、世良《せら》に笑顔《えがお》を向《む》けた。

「でも、すごいよ世良《せら》ちゃん！　またまた事件解決《じけんかいけつ》しちゃって！」

「そうか？　まあ安室《あむろ》さんや…コナン君《くん》が協力《きょうりょく》してくれたから、このぐらい楽勝《らくしょう》さ！」

上機嫌《じょうきげん》の世良《せら》を、園子《そのこ》が「さすがＪＫ探偵《ジェーケーたんてい》♡」とさらにほめる。

「ま、ボクが探偵《たんてい》をやってるのは…兄《あに》の影響《えいきょう》だけどね！」

「それって、赤女事件《あかおんなじけん》の時《とき》に話《はな》してた、頭《あたま》の切《き》れるお兄《にい》さん？」

蘭《らん》が聞《き》くと、世良《せら》は誇《ほこ》らしげな表情《ひょうじょう》になった。

「いや、それは真《ま》ん中《なか》の兄《あに》！　影響《えいきょう》を受《う》けたのは一番上《いちばんうえ》の兄《あに》だよ！」

赤女事件《あかおんなじけん》とは、コナンたちが山奥《やまおく》の貸《か》し別荘《べっそう》で遭遇《そうぐう》した殺人事件《さつじんじけん》のことだ。その時《とき》、世《せ》良《ら》は蘭《らん》たちに、頭《あたま》の切《き》れる兄《あに》がいると話《はな》していたのだった。

「一番上《いちばんうえ》のお兄《にい》さんって、確《たし》か亡《な》くなったんじゃ…」

蘭《らん》が遠慮《えんりょ》がちに聞《き》くと、園子《そのこ》も「まさか、刑事《けいじ》で殉職《じゅんしょく》しちゃったとか？」と質問《しつもん》を重《かさ》ねた。

「ああ…。でも日本《にっぽん》の刑事《けいじ》じゃなく、連邦捜査局《れんぽうそうさきょく》…ＦＢＩ《エフビーアイ》のエージェントだけどな…。グリーンカード取《と》るの、大変《たいへん》だったらしいよ…」

世良《せら》が説明《せつめい》すると、蘭《らん》は「だからお兄《にい》さん、アメリカに行《い》ってたんだね…」と納得《なっとく》した。

「ねぇ…その人《ひと》の名前《なまえ》って…」

コナンがさりげなく聞《き》くと、世良《せら》はうれしそうに身《み》を乗《の》り出《だ》した。

「赤井秀一《あかいしゅういち》っていうんだ！　カッコイイだろー？」

コナンは心《こころ》の中《なか》で（やっぱり…）とつぶやいた。予想《よそう》していた通《とお》り、世良《せら》は赤井秀一《あかいしゅういち》の妹《いもうと》だったのだ。赤井《あかい》と同《おな》じように、世良《せら》の目《め》の下《した》にも生《う》まれつきのクマがくっきりとにじんでいる。

世良《せら》の兄《あに》がＦＢＩ《エフビーアイ》だったと知《し》り、蘭《らん》は不思議《ふしぎ》そうに「でも、そのお兄《にい》さん、日本《にっぽん》の駅《えき》のホームで見《み》かけたんだよね？」と聞《き》いた。

「ああ…だから、ビックリしたのさ…」

「じゃあ、アンタにベースを教《おし》えてくれた男《おとこ》の人《ひと》もＦＢＩ《エフビーアイ》だったりして…」

園子《そのこ》の言葉《ことば》に世良《せら》は「まさか…」と首《くび》を振《ふ》った。

「兄《あに》が休暇《きゅうか》で日本《こっち》に帰《かえ》った時《とき》に会《あ》った友達《ともだち》じゃないか？」

安室《あむろ》は、世良《せら》たちの会話《かいわ》を一歩下《いっぽさ》がったところで聞《き》いていた。

(いや…。彼《かれ》は…警視庁公安部《けいしちょうこうあんぶ》の…潜入捜査官《せんにゅうそうさかん》…)

実《じつ》は、赤井《あかい》が駅《えき》のホームで一緒《いっしょ》にいた男《おとこ》は、組織《そしき》の情報《じょうほう》を探《さぐ》る公安部《こうあんぶ》の潜入捜査官《せんにゅうそうさかん》だ。

安室《あむろ》が組織《そしき》から「バーボン」のコードネームを与《あた》えられていたように、その男《おとこ》も「スコッチ」というコードネームを与《あた》えられていた。そしてちょうど同《おな》じ時期《じき》に、FBI《エフビーアイ》の赤井《あかい》も、「ライ」というコードネームで潜入《せんにゅう》していた。

バーボン、スコッチ、そしてライの三人《さんにん》は、組織《そしき》の命令《めいれい》でチームを組《く》まされていたため、一緒《いっしょ》に行動《こうどう》することが多《おお》かったのだ。

安室《あむろ》は腕組《うでぐ》みをして世良《せら》の後《うし》ろ姿《すがた》を見《み》つめながら、心《こころ》の中《なか》でつぶやいた。

(君《きみ》の兄《あに》に殺《ころ》された男《おとこ》だよ…)

裏《うら》切《ぎ》りのステージ

DETECTIVE CONAN

TŌRU AMURO SELECTION

数年前《すうねんまえ》。

組織《そしき》に潜入《せんにゅう》した安室《あむろ》は、順調《じゅんちょう》に内部《ないぶ》へと入《はい》り込《こ》み、コードネームを与《あた》えられて、幹部《かんぶ》からの信頼《しんらい》を得《え》つつあった。そんな最中《さいちゅう》――共《とも》に組織《そしき》に潜入《せんにゅう》していたスコッチから、安室《あむろ》のもとへ一本《いっぽん》の電話《でんわ》がかかってきた。

――悪《わる》い、降谷《ふるや》…奴《やつ》らに俺《おれ》が公安《こうあん》だとバレた…。逃《に》げ場《ば》はもう…あの世《よ》しかないようだ…。じゃあな、零《ゼロ》…。

一方的《いっぽうてき》に言《い》うなり、電話《でんわ》はすぐに切《き》れてしまった。

逃《に》げ場《ば》があの世《よ》しかないということは、組織《そしき》に捕《つか》まる前《まえ》に自《みずか》ら命《いのち》を絶《た》とうとしているのだろう。安室《あむろ》は自殺《じさつ》を止《と》めるため、ビルの屋外階段《おくがいかいだん》を駆《か》け上《あ》がって、スコッチがいるはずの屋上《おくじょう》へと急《いそ》いだ。

カンカンカンカン…。

階段《かいだん》は鉄骨《てっこつ》でできていて、足音《あしおと》がやかましく響《ひび》いた。なんとかスコッチを助《たす》けようと、安室《あむろ》は必死《ひっし》だった。

ドン！

屋上《おくじょう》に着《つ》く直前《ちょくぜん》で銃声《じゅうせい》が響《ひび》き、安室《あむろ》は表情《ひょうじょう》を凍《こお》りつかせた。足《あし》が止《と》まりそうになったが、振《ふ》りきって、ザッと屋上《おくじょう》に飛《と》び込《こ》む。

スコッチは、胸《むね》のあたりを血《ち》まみれにして、壁《かべ》ぎわに倒《たお》れていた。スコッチの目《め》の前《まえ》には、返《かえ》り血《ち》を浴《あ》びた赤井《あかい》が立《た》っている。

言葉《ことば》を失《な》くす安室《あむろ》の方《ほう》を振《ふ》り返《かえ》り、赤井《あかい》は低《ひく》い声《こえ》で言《い》った。

「裏切《うらぎ》りには…制裁《せいさい》をもって答《こた》える…。だったよな？」

「バーボン？　ちょっとバーボン？」

ベルモットに声《こえ》をかけられ、安室《あむろ》は「え？」と我《われ》に返《かえ》った。助手席《じょしゅせき》にベルモットを乗《の》せて愛車《あいしゃ》を運転《うんてん》していたのに、昔《むかし》の記憶《きおく》に気《き》を取《と》られてしまっていたのだ。

「『え？』じゃないわよ…。さっきの交差点《こうさてん》、右折《うせつ》しないと…」

「すみません…。少《すこ》し考《かんが》え事《ごと》をしていたもので…」

安室《あむろ》が謝《あやま》ると、ベルモットは「あら…」と片眉《かたまゆ》を上《あ》げた。

「らしくないわね…。じゃあさっきの話《はなし》、聞《き》いてなかったの？」

「聞《き》いてましたよ…。ソレが公《おおやけ》になる前《まえ》に探《さぐ》りを入《い》れて…必要《ひつよう》とあらば、潰《つぶ》せばいいんですよね？」

「相手《あいて》は大物《おおもの》…。接近《せっきん》しにくいなら関係者《かんけいしゃ》に変装《へんそう》させてあげるけど？」

ベルモットが妖艶《ようえん》に微笑《ほほえ》んで言《い》うと、安室《あむろ》は前《まえ》を向《む》いたまま、「いえ、ご心配《しんぱい》なく…」と涼《すず》しい顔《かお》で答《こた》えた。

「相手《あいて》の懐《ふところ》に入《はい》るアテなら、ありますから…」


放課後《ほうかご》。

蘭《らん》と園子《そのこ》は、コナンと一緒《いっしょ》に工藤邸《くどうてい》の掃除《そうじ》をしていた。

「――ったく…何《なに》が悲《かな》しゅうて、学校帰《がっこうがえ》りの華《はな》のＪＫ《ジェイケー》が…留守中《るすちゅう》の推理《すいり》オタクの家《いえ》を掃除《そうじ》せにゃならんのよ？」

怒《おこ》りながらハタキをかける園子《そのこ》を、蘭《らん》が「まぁまぁ…」となだめる。その隣《となり》で、コナンは本《ほん》を整理《せいり》しながら（すみませんねぇ…）と心《こころ》の中《なか》で謝《あやま》った。

現在《げんざい》、この家《いえ》には、沖矢昴《おきやすばる》が一人《ひとり》で住《す》んでいる。沖矢《おきや》は大学院生《だいがくいんせい》で、ある事件《じけん》で家《いえ》が燃《も》えてしまったために、この工藤邸《くどうてい》に身《み》を寄《よ》せているのだ。

「申《もう》し訳《わけ》ありません、手伝《てつだ》って頂《いただ》いて…。1人《り》で掃除《そうじ》するには広過《ひろす》ぎて…」

沖矢《おきや》が水《みず》の入《はい》ったバケツを運《はこ》びながら声《こえ》をかけると、園子《そのこ》はコロッと態度《たいど》を翻《ひるがえ》して、

「いえ！　お掃除好《そうじす》きなんで♡」

と笑顔《えがお》を向《む》けた。年上《としうえ》で落《お》ち着《つ》いた雰囲気《ふんいき》の沖矢《おきや》を、園子《そのこ》はすっかり気《き》に入《い》っているのだ。園子《そのこ》の変《か》わり身《み》の早《はや》さに、蘭《らん》は（園子《そのこ》…）と内心《ないしん》であきれてしまった。

実《じつ》は、沖矢昴《おきやすばる》は、赤井秀一《あかいしゅういち》が変装《へんそう》した姿《すがた》。黒《くろ》ずくめの組織《そしき》に死《し》んだと思《おも》わせるため、沖《おき》矢昴《やすばる》という別人《べつじん》になりすまして工藤邸《くどうてい》で生活《せいかつ》しているのだ。

「そういえば、世良真純《せらますみ》さん…でしたっけ？　彼女《かのじょ》は来《こ》なかったんですね…」

「ああ…世良《せら》ちゃんも誘《さそ》ったんだけど…」

「何《なに》かまたホテルを引《ひ》っ越《こ》すから、バタバタしてるらしくて…。でもホテル暮《ぐ》らしなんて

憧《あこが》れちゃうよ♡」

蘭《らん》がはしゃいで言《い》うが、園子《そのこ》は「そーお？」と首《くび》を傾《かし》げ、ピンときていない様子《ようす》だ。

コナンは心《こころ》の中《なか》で（ま、豪邸《ごうてい》に住《す》んでるお嬢様《じょうさま》は、毎日《まいにち》がホテル暮《ぐ》らしみてえなもんだし…）とつぶやいた。

「その世良《せら》さんの周《まわ》りに、変《か》わった人《ひと》とか見《み》かけませんでしたか？」

「変《か》わった人《ひと》？」

「そう、例《たと》えば…絶《た》えず周囲《しゅうい》を警戒《けいかい》し、危険《きけん》な相手《あいて》なら瞬時《しゅんじ》に制圧《せいあつ》する能力《のうりょく》に長《た》けた…『浅香《あさか》』という名《な》の…。まぁ、そうは名乗《なの》っていないでしょうけど…」

沖矢《おきや》が、脈絡《みゃくらく》もなくそんなことを聞《き》いたのには、わけがある。

浅香《あさか》というのは、棋士《きし》の羽田浩司《はねだこうじ》が殺《ころ》された事件《じけん》に、深《ふか》く関《かか》わる人物《じんぶつ》の名前《なまえ》なのだ。羽《は》田《だ》は死《し》に際《ぎわ》に「U MASCARA」というメッセージを残《のこ》していた。「U MASCARA」は、並《なら》び替《か》えると「ASACA RUM」となる。

もしかしたら、「浅香《あさか》」という人物《じんぶつ》は、黒《くろ》ずくめの組織《そしき》の幹部《かんぶ》であるラムと同一人物《どういつじんぶつ》なのかもしれない――そう考《かんが》えた赤井《あかい》とコナンは、行方《ゆくえ》をくらましている「浅香《あさか》」について情報《じょうほう》を集《あつ》めているのだった。

「『アサカ』じゃないけどいるよ、1人《り》！」

園子《そのこ》が答《こた》えると、蘭《らん》は「え？　そんな人《ひと》いた？」と不思議《ふしぎ》そうに聞《き》いた。

「蘭《らん》よ、蘭《らん》！　わたし専属《せんぞく》のSP《エスピー》だし♡」

「あのねぇ…わたしは変《か》わった人《ひと》じゃないでしょ？」

園子《そのこ》にウィンクをされ、蘭《らん》はあきれてしまった。

「そうそう、『アサカ』っていえば…ロックミュージシャンの波土禄道《はどろくみち》が今度《こんど》出《だ》す新曲《しんきょく》のタイトルが『アサカ』だよ！　何《なん》か、17年《ねん》も前《まえ》に作《つく》った曲《きょく》にやっと歌詞《かし》つけて、今度《こんど》のライブでお披露目《ひろめ》するってさ！」

コナンはすぐさま、(17年前《ねんまえ》？)と反応《はんのう》した。羽田《はねだ》が殺《ころ》された事件《じけん》が起《お》きたのと、ちょうど同《おな》じ年《とし》だ。

「でも、そのタイトルって、変《か》わってるんだよね？」

蘭《らん》が思《おも》い出《だ》したように言《い》い、沖矢《おきや》はすかさず「変《か》わってるとは？」と聞《き》いた。

「アルファベット表記《ひょうき》でネットに発表《はっぴょう》されたんだけど…『アサカ』の『カ』の字《じ》が…『K《ケー》

A《エー》』じゃなくて『CA《シーエー》』でさー…」

(KA《ケーエー》が…CA《シーエー》?)

園子《そのこ》の説明《せつめい》に、コナンも沖矢《おきや》もハッとした。羽田《はねだ》の残《のこ》したメッセージでも『浅香《あさか》』の名《な》前《まえ》は「KA《ケーエー》」ではなく「CA《シーエー》」で表記《ひょうき》されていたのだ。

「ねぇ何《なん》で⁉ 何《なん》で『KA《ケーエー》』が『CA《シーエー》』なの⁉」

コナンが勢《いきお》いよく聞《き》くと、園子《そのこ》は「さ、さぁ…」と首《くび》を傾《かし》げた。

「絶対《ぜったい》、何《なに》か理由《りゆう》があるはずだよ‼ 思《おも》い当《あ》たらない⁉」

「そんなに知《し》りたいなら本人《ほんにん》に聞《き》けば? 今度《こんど》ウチら、その波土《はど》禄道《ろくみち》のライブの前日《ぜんじつ》のリハーサルを見学《けんがく》に行《い》くから、連《つ》れてってあげるよ…」

園子《そのこ》が言《い》うと、蘭《らん》も「少《すこ》しぐらいならお話《はなし》できるかもね!」とコナンの顔《かお》をのぞき込《こ》んだ。

「ホ、ホント⁉」

「よろしければ、そのリハーサル、私《わたし》も見学《けんがく》してよろしいでしょうか?」

沖矢《おきや》が申《もう》し出《で》る。

「え？　昂《すばる》さんも？」

意外《いがい》そうな園子《そのこ》に、沖矢《おきや》は「波土禄道《はどろくみち》の大《だい》ファンなので！」と真顔《まがお》で告《つ》げた。

「はい！　喜《よろこ》んで♡」

園子《そのこ》が頬《ほお》を赤《あか》く染《そ》めて答《こた》える。

「ちなみに、ネットにそのタイトルが発表《はっぴょう》されたのはいつ頃《ごろ》ですか？」

「つい先週《せんしゅう》だけど…」

「5年振《ねんぶ》りの新曲《しんきょく》だから、ネットのニュースの上位《じょうい》になってて…」

園子《そのこ》と蘭《らん》が答《こた》えるのを聞《き》いて、コナンも沖矢《おきや》も表情《ひょうじょう》を引《ひ》き締《し》めた。

（…となると…もうすでに！　奴《やつ》らの目《め》にも…触《ふ》れてるってワケか…）

奴《やつ》らというのは、組織《そしき》の連中《れんちゅう》のこと。ジンやウォッカ、ベルモットも、波土《はど》の新曲《しんきょく》のタイトルが「ＡＳＡＣＡ《アサカ》」であることに気《き》づいていたとしたら、なんらかの方法《ほうほう》で接近《せっきん》してくる可能性《かのうせい》は高《たか》い。

リハーサルの日《ひ》。

コナンと沖矢《おきや》は、園子《そのこ》と蘭《らん》に連《つ》れられて、波土《はど》のライブが行《おこな》われる東都《とうと》ホールへと足《あし》を運《はこ》んだ。ロビーで待《ま》っていると、波土《はど》のマネージャーをしている円城佳苗《えんじょうかなえ》が、やって来《き》た。黒縁《くろぶち》のメガネをかけて、千鳥格子柄《ちどりごうしがら》のジャケットを着《き》た、四十歳《よんじっさい》の女性《じょせい》だ。

「ええっ⁉ リハーサルが見学《けんがく》できない⁉ マジでー？」

円城《えんじょう》からリハーサルが見学《けんがく》できないことを知《し》らされ、園子《そのこ》は驚《おどろ》いて叫《さけ》んだ。「ごめんなさいね…」と、円城《えんじょう》が申《もう》し訳《わけ》なさそうに謝《あやま》る。

「実《じつ》はまだ、新曲《しんきょく》の歌詞《かし》が完成《かんせい》してなくて…。ステージの上《うえ》で、誰《だれ》もいない客席《きゃくせき》を眺《なが》めながら書《か》くから2時間《じかん》、1人《り》にさせてくれって…。だからバックバンドの人達《ひとたち》や他《ほか》のスタッフさん達《たち》も、夕食《ゆうしょく》を食《た》べにほとんど出払《ではら》っちゃってて…」

波土《はど》の新曲《しんきょく》「ASACA《アサカ》」は、肝心《かんじん》の歌詞《かし》がまだできていないらしい。ライブは明日《あした》だというのに、間《ま》に合《あ》うのだろうか。

「こういう事《こと》ってよくあるんですか？」

蘭《らん》が心配《しんぱい》して聞《き》くと、円城《えんじょう》は「ええ、タマに…」とうなずいた。

「ライブの直前《ちょくぜん》に歌詞《かし》が出来《でき》て、ぶっつけ本番《ほんばん》で歌《うた》った事《こと》も…」

蘭《らん》と園子《そのこ》は「へー…」と声《こえ》をそろえた。波土《はど》の曲《きょく》が本番直前《ほんばんちょくぜん》まで完成《かんせい》しないのは、どうやら珍《めずら》しいことではないようだ。

その時《とき》、あごひげを生《は》やした大柄《おおがら》な男《おとこ》が、園子《そのこ》たちの会話《かいわ》に口《くち》を挟《はさ》んできた。

「まぁ、彼《かれ》の好《す》きにさせてあげましょう…。彼《かれ》にとって今回《こんかい》のライブが…最後《さいご》のようですから…」

レコード会社《がいしゃ》の社長《しゃちょう》で、五十八歳《ごじゅうはっさい》の、布施憶康《ふせおくやす》だ。

布施《ふせ》を見《み》るなり、コナンは（でかっ!!）と目《め》を見張《みは》った。布施《ふせ》はかなりの長身《ちょうしん》だったのだ。

「さ、最後《さいご》って…」

「波土《はど》さんが引退《いんたい》するって噂《うわさ》、マジだったの!?」

驚《おどろ》く蘭《らん》と園子《そのこ》の顔《かお》を、布施《ふせ》はかがんでのぞき込《こ》んだ。

「ええ…。何度《なんど》も止《と》めたんだが…明日《あした》のライブのラストで、ファンに伝《つた》えるそうだ…」

「なら話《はなし》はついたんですかい？」

小柄《こがら》な男《おとこ》が話《はなし》に入《はい》って来《き》て、布施《ふせ》は「ん？」と振《ふ》り返《かえ》った。そこに立《た》っていたのは、梶《かじ》谷宏和《やひろかず》。五十一歳《ごじゅういっさい》の雑誌記者《ざっしきしゃ》だ。ハンチング帽《ぼう》をかぶり、鼻《はな》の下《した》にはちょびひげを生《は》やしている。

「契約期間中《けいやくきかんちゅう》に引退《いんたい》するなんてもっての外《ほか》…どうしてもというのなら裁判沙汰《さいばんざた》にして、法《ほう》外《がい》な違約金《いやくきん》をふんだくってやるって…息巻《いきま》いてたというのに…。まぁ、引退《いんたい》するのは、他《ほか》のレコード会社《がいしゃ》に移籍《いせき》する為《ため》の口実《こうじつ》だろうって憶測《おくそく》も飛《と》んでましたしねぇ…」

「何《なん》だアンタ!?　どこから入《はい》った!?」

勝手《かって》なことを言《い》う梶谷《かじや》を、布施《ふせ》が怒鳴《どな》りつける。

梶谷《かじや》は平然《へいぜん》として、ロビーの入《い》り口《ぐち》を振《ふ》り返《かえ》った。

「入《い》り口《ぐち》からですよ…。スタッフの1人《り》に金《かね》を握《にぎ》らせて、このスタッフジャンパーを手《て》に入《い》れてね…」

ロビーの入《い》り口付近《ぐちふきん》にいるスタッフたちは、みんな、梶谷《かじや》と同《おな》じジャンパーを着《き》ている。確《たし》かにこのジャンパーを着《き》ていれば、スタッフだと思《おも》われて自由《じゆう》に出入《でい》りできそうだ。

「そうそう、美人《びじん》マネージャーさん？　あんたの方《ほう》の話《はなし》も決着《けっちゃく》したんですかい？」

意地悪《いじわる》く言《い》って、梶谷《かじや》は円城《えんじょう》に視線《しせん》を向《む》けた。

「は、話《はなし》って？」

「新曲《しんきょく》のタイトルになってる『ＡＳＡＣＡ《アサカ》』…。実《じつ》はアレ…波士《はど》の新《あたら》しい女《おんな》の名前《なまえ》だって、噂《うわさ》になってますぜ？　んで、長年《ながねん》の浮気相手《うわきあいて》だったアンタがブチ切《ぎ》れて…あんな曲出《きょくだ》すなって波士《はど》と大喧嘩《おおげんか》したとか…」

「だ、誰《だれ》がそんな事《こと》…」

一方的《いっぽうてき》にまくしたてる梶谷《かじや》に、円城《えんじょう》も負《ま》けじと反論《はんろん》する。

「あ、あんただって、波士《はど》が音楽活動《おんがくかつどう》を休止《きゅうし》するって記事《きじ》を他誌《たし》にスッパ抜《ぬ》かれて、編集長《へんしゅうちょう》に大目玉《おおめだま》くらったそうじゃない!!　15年《ねん》も波士《はど》に張《は》り付《つ》いてて何《なに》やってんだってね!!」

「だからスタッフのフリまでして…乗《の》り込《こ》んで来《き》たんじゃねぇか…。波士《はど》が辞《や》めちまう前《まえ》に…逆転《ぎゃくてん》のでっけー花火《はなび》を打《う》ち上《あ》げてやろうってね…」

そう言《い》って、梶谷《かじや》がニヤリとほくそ笑《え》む。

円城《えんじょう》はたまらず、近《ちか》くにいたジャンパーを着《き》たスタッフに声《こえ》をかけた。

「そこの君達《きみたち》！　この人《ひと》、部外者《ぶがいしゃ》だからつまみ出《だ》して！」

スタッフたちは、梶谷《かじや》の背中《せなか》をぐいぐい押《お》して、強引《ごういん》に入り口《いぐち》の方《ほう》へと進《すす》ませた。

「え？　お、おい、せっかく金出《かねだ》して入《はい》ったんだから少《すこ》しは取材《しゅざい》させろよ!!　おいって!!」

梶谷《かじや》が喚《わめ》くが、スタッフたちは聞《き》く耳《みみ》を持《も》たない。結局《けっきょく》、梶谷《かじや》はあっさりと会場《かいじょう》の外《そと》に追《お》い出《だ》されてしまった。

「じゃあ、ウチらも帰《かえ》ろっか？」

園子《そのこ》が言《い》うと、蘭《らん》も「そだね…明日《あした》、学校《がっこう》だし…」とあっさりうなずいた。

「え？　帰《かえ》っちゃうの!?」

コナンはあわてた。今《いま》、帰《かえ》ってしまったら、新曲《しんきょく》について波土《はど》に聞《き》けなくなってしまう。

「その方《ほう》がいいかも…。リハーサル、いつ始《はじ》まるかわからないから…」

円城《えんじょう》に促《うなが》され、蘭《らん》が「ですね…」とうなずく。

「でも、最後《さいご》のライブのリハーサルなら、見《み》た方《ほう》がいいのでは？」

沖矢《おきや》がさりげなく蘭《らん》たちを引《ひ》き留《と》めようとするが、

「昴《すばる》さんには悪《わる》いですけど…」

「ウチらそんなにファンじゃないから…」

と、二人《ふたり》ともやはり帰《かえ》りたそうな態度《たいど》だ。しかし、蘭《らん》も園子《そのこ》も波土《はど》の大《だい》ファンではないのなら、どうしてリハーサルを見学《けんがく》することにしたのだろう。

「え？ では、ここに来《こ》ようと言《い》い出《だ》したのは…」

「僕《ぼく》ですよ…」

沖矢《おきや》の疑問《ぎもん》に答《こた》えたのは、安室《あむろ》だった。入《い》り口《ぐち》の方《ほう》からゆっくりと歩《ある》いて来《く》る。

「ポアロの店《みせ》で僕《ぼく》が波土《はど》さんの大《だい》ファンだと話《はな》したら、リハーサルを見《み》られるように園子《そのこ》さんが手配《てはい》してくれたんです…。彼《かれ》の所属《しょぞく》するレコード会社《がいしゃ》に出資《しゅっし》してるのが、偶然《ぐうぜん》、園《その》子《こ》さんの鈴木財閥《すずきざいばつ》だったらしくて…」

安室《あむろ》と一緒《いっしょ》に梓《あずさ》がいるのに気《き》づいて、蘭《らん》と園子《そのこ》は不思議《ふしぎ》そうな顔《かお》になった。ポアロで波《は》土《ど》の話題《わだい》が出《で》た時《とき》、梓《あずさ》はまったく興味《きょうみ》がなさそうだったのだ。

「あれ？ 梓《あずさ》さんも来《き》たんですか？」

「ポアロじゃ興味《きょうみ》なさそうにしてたのに…」

「お店《みせ》じゃ隠《かく》してたけど私《わたし》も大《だい》ファンなの！ でね、お店《みせ》のシフトを終《お》えてここへ向《む》かう安室《あむろ》さんのアトをつけて来《き》ちゃったってワケ！」

そう言《い》うと、梓《あずさ》は人懐《ひとなつ》こい笑顔《えがお》で安室《あむろ》の腕《うで》を取《と》った。

「驚《おどろ》きましたよ！　ここへ入《はい》ろうとしたら、彼女《かのじょ》に呼《よ》び止《と》められて…まあスタッフに事情《じじょう》を話《はな》して、なんとか入《い》れてもらいましたけど…。驚《おどろ》いたといえば、あなたも来《き》ていたんですね？　沖矢昴《おきやすばる》さん…」

意味深《いみしん》に沖矢《おきや》を見《み》ると、安室《あむろ》は「先日《せんじつ》はどうも…」とあいさつをした。

安室《あむろ》は以前《いぜん》、沖矢《おきや》が赤井秀一《あかいしゅういち》の変装《へんそう》ではないかと疑《うたが》って、工藤邸《くどうてい》を訪《たず》ねてきたことがある。その時《とき》は、新一《しんいち》の両親《りょうしん》である工藤優作《くどうゆうさく》や工藤有希子《くどうゆきこ》の協力《きょうりょく》で安室《あむろ》を出《だ》し抜《ぬ》き、バレずに切《き》り抜《ぬ》けることができたのだが、安室《あむろ》はまだしつこく沖矢《おきや》のことを疑《うたが》っているようだ。

「僕《ぼく》の事《こと》、覚《おぼ》えてますか？」

「えーっと、あなたは確《たし》か…宅配業者《たくはいぎょうしゃ》の方《かた》ですよね？」

沖矢《おきや》のとぼけた答《こた》えに、安室《あむろ》は目《め》をテンにして「え、ええ…まぁ…」とうなずいた。工《く》藤邸《どうてい》に乗《の》り込《こ》んできた時《とき》、安室《あむろ》は宅配業者《たくはいぎょうしゃ》を装《よそお》って、玄関《げんかん》を開《あ》けさせたのだ。

「んじゃ、後《あと》は大《だい》ファン3人《にん》でごゆっくり…」

そう言《い》い残《のこ》して、園子《そのこ》がロビーの外《そと》に向《む》かって歩《ある》いて行《い》く。

「ホラ、コナン君《くん》も帰《かえ》るよ！」

と、蘭《らん》に手《て》を引《ひ》かれ、コナンは「あ、ちょっ…」と抵抗《ていこう》して、梓《あずさ》の方《ほう》を振《ふ》り返《かえ》った。

「ねぇ、梓姉《あずさねえ》ちゃん！」

「ん？」

「波土《はど》さんを好《す》きになったのって、やっぱギターが上手《じょうず》なトコだよね？　梓姉《あずさねえ》ちゃんも、ギターすっごく上手《じょうず》だし！」

「ええ、もちろんそうよ！」

梓《あずさ》とコナンの会話《かいわ》を聞《き》いて、蘭《らん》と園子《そのこ》は、不思議《ふしぎ》そうに足《あし》を止《と》めた。

「あれ？　梓《あずさ》さんって、ギター触《さわ》った事《こと》もないって言《い》ってませんでした？」

「ホラ！　この前《まえ》ウチらのバンドに誘《さそ》った時《とき》に…」

口々《くちぐち》に言《い》われ、梓《あずさ》は「あ、ああ…」とさりげなく話《はなし》を合《あ》わせた。

「あの時《とき》は、女子高生《じょしこうせい》のバンドに入《はい》るのが恥《は》ずかしくて思《おも》わず…。ゴメンね！」

自然《しぜん》に取《と》り繕《つくろ》う梓《あずさ》の様子《ようす》を見《み》て、コナンは確信《かくしん》した。

(やっぱりコイツ…ベルモット!!)

安室《あむろ》と一緒《いっしょ》に現《あらわ》れた梓《あずさ》は、ベルモットの変装《へんそう》だったのだ。本物《ほんもの》の梓《あずさ》がギターを弾《ひ》けないことを、ベルモットは知《し》らなかったのだろう。

(…だとしたら、昴《すばる》さんを早《はや》く引《ひ》きあげさせねぇと…中身《なかみ》が赤井《あかい》さんだとバレたら…)

コナンは緊迫《きんぱく》して、沖矢《おきや》の方《ほう》を振《ふ》り返《かえ》った。

沖矢《おきや》は、梓《あずさ》がベルモットの変装《へんそう》であることに気《き》づいていないのか、

「やはり波土《はど》のベスト1《ワン》は『血《ち》の箒星《ほうきぼし》』ですよね?」

「いえいえ、僕《ぼく》は『雪《ゆき》の堕天使《だてんし》』の方《ほう》が…」

などと、安室《あむろ》としらじらしい会話《かいわ》を続《つづ》けている。

(——って、談笑《だんしょう》してるし…)

「ねぇねぇ昴《すばる》さん…」

コナンは沖矢《おきや》の袖《そで》を引《ひ》くと、ヒソヒソと耳打《みみう》ちして、梓《あずさ》がベルモットの変装《へんそう》であることを伝《つた》えた。

「ヤバイよ…。早《はや》くここから離《はな》れないと…」

「『虎穴《こけつ》に入《い》らずんば、虎子《こじ》を得《え》ず』だが…退《ひ》くも勇気《ゆうき》という事《こと》か…」

沖矢《おきや》が片目《かため》を開《あ》けて言《い》い、コナンは「うん！」と力強《ちからづよ》くうなずいた。

『虎穴《こけつ》に入《い》らずんば、虎子《こじ》を得《え》ず』というのは、中国《ちゅうごく》のことわざだ。虎《とら》のいる穴《あな》に入《はい》らなければその虎《とら》の子《こ》を手《て》に入《い》れることができないように、危険《きけん》を冒《おか》さなければ成果《せいか》を挙《あ》げることはできない、という意味《いみ》だが、時《とき》には危険《きけん》を避《さ》けた方《ほう》が賢明《けんめい》な状況《じょうきょう》もあるだろう。

と、その時《とき》、消防署員《しょうぼうしょいん》らしき男《おとこ》たちが、ロビーの中《なか》に入《はい》って来《き》た。

「消防査察《しょうぼうささつ》に来《き》ましたー！」

「設備《せつび》を確認《かくにん》しますねー！」

どうやら、ライブでの火気《かき》の取《と》り扱《あつか》いや防災設備《ぼうさいせつび》に問題《もんだい》はないか、チェックをしに来《き》たらしい。

「あ、君《きみ》…」

「ま…まだ中《なか》には…」

布施《ふせ》と円城《えんじょう》があわてて止《と》めようとするが、消防署員《しょうぼうしょいん》たちは「よっと…」とホールの入《い》り口《ぐち》のドアを開《あ》けてしまった。

「うっ…うわあ！」

ホールの中《なか》を見《み》るなり、消防署員《しょうぼうしょいん》は悲鳴《ひめい》を上《あ》げて、その場《ば》にへたり込《こ》んだ。それを見《み》たコナンたちは即座《そくざ》に走《はし》って行《い》って、ホールの中《なか》を確認《かくにん》した。

「キッ…キャアアア！」

園子《そのこ》と蘭《らん》の悲鳴《ひめい》が響《ひび》き渡《わた》る。

ステージの中央《ちゅうおう》では、波土《はど》が、首《くび》を吊《つ》って死《し》んでいたのだ。

「は、波土《はど》さんが首《くび》を…」

園子《そのこ》は、目《め》の前《まえ》の光景《こうけい》に、声《こえ》を震《ふる》わせて立《た》ちすくんだ。

波土《はど》は黒《くろ》いワイシャツに派手《はで》な柄《がら》のジャケットを羽織《はお》り、ギターを下《さ》げていた。首《くび》にかかったロープは、天井近《てんじょうちか》くに取《と》りつけられた照明《しょうめい》のバーに渡《わた》され、先端《せんたん》は客席《きゃくせき》のイスにくくりつけられている。

コナン、沖矢《おきや》、安室《あむろ》は、ステージに向《む》かって、一斉《いっせい》にダッと駆《か》け出《だ》した。

「あ、ちょっ…コナン君《くん》!?」

追《お》いかけようとした蘭《らん》を、梓《あずさ》に変装《へんそう》したベルモットが押《お》しとどめる。

「ダメよ、エンジェル…貴方《あなた》は入《はい》ってはダメ…。この血塗《ちぬ》られたステージには、相応《ふさわ》しくないわ…」

以前《いぜん》、ベルモットは蘭《らん》に会《あ》ったことがあり、それ以来《いらい》、蘭《らん》のことを『エンジェル』と呼《よ》んでいる。しかし、そのことを知《し》らない蘭《らん》は「エ、エンジェル？」と語尾《ごび》を上《あ》げてとまどった。

「あ、ホラ！　蘭《らん》ちゃんって天真爛漫《てんしんらんまん》だし♡」

ベルモットがごまかすと、園子《そのこ》は「天使《てんし》ん…ってダジャレ？」と顔《かお》をひきつらせた。天《てん》真爛漫《しんらんまん》と天使《てんし》をかけたダジャレだと思《おも》ったようだ。

「とにかく事件《じけん》の捜査《そうさ》は…彼《かれ》らに任《まか》せましょ…」

そう言《い》って、ベルモットは遺体《いたい》を調《しら》べている三人《さんにん》に視線《しせん》を向《む》けた。

安室《あむろ》は遺体《いたい》の様子《ようす》を観察《かんさつ》し、コナンはステージの状況《じょうきょう》を確認《かくにん》している。そして、沖矢《おきや》は、遺体《いたい》を吊《つ》っているロープをまじまじと見《み》つめていた。

(組織随一《そしきずいいち》の洞察力《どうさつりょく》の持《も》ち主《ぬし》である…バーボンと…薬《くすり》で幼児化《ようじか》した高校生探偵《こうこうせいたんてい》…工藤新一《くどうしんいち》

と…。そしてあともう1人《り》…誰《だれ》？）

ベルモットは、沖矢《おきや》とは初対面《しょたいめん》だ。いったい何者《なにもの》なのかと、ベルモットは離《はな》れた場所《ばしょ》からじっと沖矢《おきや》の様子《ようす》をうかがった。


「複数犯《ふくすうはん》でしょうか？　これが1人《り》の人間《にんげん》の仕業《しわざ》だとしたら…途方《とほう》もない怪力《かいりき》の持《も》ち主《ぬし》だ…。そう思《おも》いませんか？　沖矢《おきや》さん…」

安室《あむろ》はステージの上《うえ》に立《た》って遺体《いたい》を見上《みあ》げながら、客席《きゃくせき》を調《しら》べている沖矢《おきや》に尋《たず》ねた。

「先日《せんじつ》あなたにお会《あ》いした時《とき》、卓越《たくえつ》した推理力《すいりりょく》を持《も》たれているとお見《み》うけしましたけど…」

「いえいえ…ミステリー好《ず》きのただの大学院生《だいがくいんせい》ですよ…」

はぐらかして言《い》うと、沖矢《おきや》は「ん？」と客席《きゃくせき》に結《むす》ばれたロープをのぞき込《こ》んだ。

（ロープに何《なに》かをねじ込《こ》んだような…穴《あな》が…）

遺体《いたい》を吊《つ》っているロープに、何《なに》か不審《ふしん》な点《てん》を見《み》つけたようだ。

一方《いっぽう》、安室《あむろ》も何《なに》かに気《き》づいた。

（ステージのソデに…パイプイスと、ロープと、工具箱《こうぐばこ》…。切《き》り口《くち》からすると、首《くび》を吊《つ》らせたロープの余《あま》りだろうけど…）

イスは畳《たた》んで壁《かべ》に立《た》てかけられ、ロープはきちんと束《たば》ねられている。工具箱《こうぐばこ》は、ふたがしまった状態《じょうたい》で、ロープの隣《となり》に並《なら》んで置《お》かれていた。

（一体《いったい》、何《なん》でこんな所《ところ》に…）

ロープの切《き》り口《くち》を観察《かんさつ》しながら、安室《あむろ》は思案《しあん》した。

コナンは、ステージを下《お》りた客席《きゃくせき》の床《ゆか》に、何《なに》か細長《ほそなが》いものが落《お》ちていることに気《き》がついた。

（あれ？　何《なん》だ？　このヒモ…タコ糸《いと》か？　上《うえ》の座席《ざせき》までつながってる…何《なん》だ？）

タコ糸《いと》は、客席《きゃくせき》を通《とお》って、上《うえ》の座席《ざせき》へと伸《の》びているようだ。タタタ…と走《はし》って端《はし》を見《み》に行《い》くと、タコ糸《いと》の先《さき》には小《ちい》さなボールが結《むす》びつけられていた。

（タコ糸《いと》の先《さき》に…野球《やきゅう》のボール？）

波土《はど》が首《くび》を吊《つ》っているとの通報《つうほう》を受《う》け、現場《げんば》にやって来《き》たのは、目暮警部《めぐれけいぶ》と高木刑事《たかぎけいじ》だった。

「殺《ころ》されたのは、ミュージシャンの波土禄道《はどろくみち》さん、39歳《さい》…。明日《あした》、ここでライブを演《や》る予《よ》定《てい》だったそうです…」

高木刑事《たかぎけいじ》の報告《ほうこく》を聞《き》き、目暮警部《めぐれけいぶ》は「ホー…」とうなずいた。

「それで？　死亡推定時刻《しぼうすいていじこく》は？」

「死斑《しはん》や死後硬直《しごこうちょく》…瞳孔《どうこう》の散大具合《さんだいぐあい》からすると…死後《しご》1時間《じかん》から2時間《じかん》って所《ところ》でしょうか…」

鑑識《かんしき》が遺体《いたい》の様子《ようす》を調《しら》べながら答《こた》えると、高木刑事《たかぎけいじ》は手帳《てちょう》を見《み》ながら報告《ほうこく》した。

「マネージャーの話《はなし》によると、2時間《じかん》ぐらい前《まえ》から、波土《はど》さんは1人《り》でこの会場《かいじょう》に籠《こも》って作詞《さくし》をしていたそうなので…」

「その間《あいだ》に誰《だれ》かがこの会場《かいじょう》へ入《はい》り、被害者《ひがいしゃ》の首《くび》を吊《つ》り上《あ》げて殺害《さつがい》したというわけか…。スポットライトが取《と》り付《つ》けられた、あの鉄《てつ》のバーにロープを渡《わた》して…。まぁどーせ…重《おも》い緞《どん》帳《ちょう》を動《うご》かす機械《きかい》を使《つか》って吊《つ》り上《あ》げたんだろうがな…」

目暮警部《めぐれけいぶ》の推理《すいり》に、「それはないと思《おも》いますよ？」と安室《あむろ》が水《みず》を差《さ》した。

「緞帳《どんちょう》を動《うご》かす特殊設備《とくしゅせつび》のある部屋《へや》は、鍵《かぎ》がかかっていて…犯行当時《はんこうとうじ》、その鍵《かぎ》を持《も》っていたスタッフは、少《すこ》し早《はや》い夕食《ゆうしょく》を食《た》べに出払《ではら》っていたそうですから…」

「じゃあ機械《きかい》を使《つか》わずに吊《つ》り上《あ》げたんですか？」

高木刑事《たかぎけいじ》が質問《しつもん》すると、沖矢《おきや》は「ええ…恐《おそ》らく複数《ふくすう》の人間《にんげん》で…」とうなずいて、スポットライトが取《と》りつけられたバーを見上《みあ》げた。

「あのバーに滑車《かっしゃ》でも付《つ》いていない限《かぎ》り…1人《り》では、ほぼ不可能《ふかのう》でしょう…。たとえ太《ふと》った人《ひと》が体重《たいじゅう》をかけて吊《つ》り上《あ》げたとしても…1人《り》で客席《きゃくせき》につなぐのはかなり厳《きび》しいですから…」

波土《はど》は背《せ》が高《たか》く、がっしりとした体格《たいかく》をしている。遺体《いたい》を吊《つ》るすには、相当《そうとう》な力《ちから》が必要《ひつよう》だったはずだ。

「あと気《き》になるのは、ステージのソデに置《お》かれていた、パイプイスと余《あま》ったロープと工具《こうぐ》箱《ばこ》…」

「それとロープの結《むす》び目《め》近《ちか》くに残《のこ》された奇妙《きみょう》な穴《あな》…」

安室《あむろ》と沖矢《おきや》が口々《くちぐち》に言《い》うと、最後《さいご》にコナンがひょっこりと姿《すがた》を現《あらわ》して、「タコ糸《いと》が付《つ》いた野球《やきゅう》のボールも、客席《きゃくせき》の途中《とちゅう》に落《お》ちてたよ！」と付《つ》け加《くわ》えた。

「コ、コナン君《くん》？　君《きみ》もいたのかい⁉」

コナンがいることに気《き》づいていなかったらしく、高木刑事《たかぎけいじ》は目《め》を丸《まる》くした。

「とにかく、ここにいるスタッフに話《はなし》を聞《き》いてみるか…。…にしても入《い》れ替《か》わり立《た》ち替《か》わり、よくもまぁ毎度毎度《まいどまいど》、探偵《たんてい》が…」

目暮警部《めぐれけいぶ》はため息交《いきま》じりにとボヤくと、高木刑事《たかぎけいじ》も「え、ええ…コナン君《くん》は皆勤賞《かいきんしょう》みたいですけど…」とうなずいた。


目暮警部《めぐれけいぶ》と高木刑事《たかぎけいじ》は、会場《かいじょう》にいたスタッフに事情聴取《じじょうちょうしゅ》を行《おこな》い、波土《はど》が殺《ころ》された時《とき》の現《げん》場《ば》の状況《じょうきょう》を確認《かくにん》した。

「え――…この東都《とうと》ホールの建物内《たてものない》にいたスタッフの話《はなし》をまとめると…死亡推定時刻《しぼうすいていじこく》の午《ご》後《ご》4時半《じはん》から5時半《じはん》の間《あいだ》に、長時間姿《ちょうじかんすがた》が確認《かくにん》されていないのは…布施《ふせ》さんと円城《えんじょう》さんの2

人《り》だけのようですね…」

高木刑事《たかぎけいじ》がメモを見《み》ながら言《い》う。自分《じぶん》が容疑者《ようぎしゃ》だと知《し》った布施《ふせ》は「ちょっとちょっと、待《ま》ってくださいよ‼」とあわてた。

「言《い》ったでしょ？　私《わたし》は今朝《けさ》からおなかを壊《こわ》し気味《ぎみ》で、ここのトイレに籠《こも》っていただけだと…」

「わ、私《わたし》もホール内《ない》を駆《か》け回《まわ》って…スタッフに指示《しじ》を出《だ》してましたから…。波土《はど》のリハーサルを見学《けんがく》したいっていうこの人達《ひとたち》の事《こと》を…スタッフに伝《つた》えないといけませんでしたし…」

円城《えんじょう》も、沖矢《おきや》たちの方《ほう》を見《み》ながら訴《うった》えた。

「ちなみに、遺体《いたい》の第一発見者《だいいちはっけんしゃ》は消防査察《しょうぼうささつ》に来《き》た消防官《しょうぼうかん》だそうです…」

高木刑事《たかぎけいじ》が言《い》い添《そ》えると、目暮警部《めぐれけいぶ》は「ああ、大《おお》きなイベント前《まえ》に消防設備《しょうぼうせつび》を点検《てんけん》するっていうアレか…」と納得《なっとく》した。犯行《はんこう》の直前《ちょくぜん》に設備点検《せつびてんけん》に来《き》ただけの消防官《しょうぼうかん》には、犯行《はんこう》は不可能《ふかのう》だろう。

布施《ふせ》はたまらず、ロビーにいた梶谷《かじや》を指《ゆび》さして叫《さけ》んだ。

「怪《あや》しいのなら彼《かれ》だってそうじゃないか？　スタッフジャンパーを金《かね》で買《か》ってここに潜《もぐ》り

込《こ》んだあの雑誌記者《ざっしきしゃ》ですよ!!」

梶谷《かじや》は、波土《はど》が亡《な》くなったことを聞《き》きつけて、戻《もど》って来《き》たらしい。スタッフに羽交《はが》い締《じ》めにされ、追《お》い出《だ》されそうになりながら、

「おい離《はな》せよ!!　波土《はど》が殺《ころ》されたんだろ!?　写真《しゃしん》ぐらい撮《と》らせろよ!!」

と喚《わめ》いている。


目暮警部《めぐれけいぶ》と高木刑事《たかぎけいじ》は、梶谷《かじや》からも話《はなし》を聞《き》くことにした。

「ああ…間違《まちが》いねぇよ…。俺《おれ》がスタッフからジャンパーを買《か》ってこのホールに入《はい》ったのは…午後《ごご》5時半前《じはんまえ》…5時《じ》20分頃《ぷんごろ》だよ!　ウソだと思《おも》ったらジャンパーを売《う》ったスタッフに聞《き》いてみろよ!!」

梶谷《かじや》が喚《わめ》き散《ち》らすと、高木刑事《たかぎけいじ》は「…だとしたら、妙《みょう》ですね…」と首《くび》をひねった。

「円城《えんじょう》さんの姿《すがた》が確認《かくにん》されていないのは4時半《じはん》から4時《じ》50分《ぷん》で、布施《ふせ》さんは5時《じ》から5時《じ》15分頃《ふんごろ》ですから…」

波士《はど》の遺体《いたい》を単独《たんどく》で吊《つ》るすのは難《むずか》しいので、警察《けいさつ》は複数犯《ふくすうはん》を疑《うたが》っていた。しかし、姿《すがた》が確認《かくにん》されていない時刻《じこく》がかぶっていないのなら、協力《きょうりょく》し合《あ》うのは不可能《ふかのう》だ。

「3人《にん》の内《うち》の誰《だれ》かと誰《だれ》かが共謀《きょうぼう》して、被害者《ひがいしゃ》の首《くび》を吊《つ》らすのは無理《むり》か…」

そうつぶやいた目暮警部《めぐれけいぶ》に、コナンが「ねぇ！」と後《うし》ろから声《こえ》をかけた。

「3人《にん》の中《なか》で野球《やきゅう》やってた人《ひと》っている？」

突然《とつぜん》、口《くち》を挟《はさ》んできたコナンを、「ちょっとコナン君《くん》!?」「こんな時《とき》に何聞《なにき》いてんのよ!?」と蘭《らん》と園子《そのこ》が注意《ちゅうい》する。

「私《わたし》は大学《だいがく》までラグビーをやっていたが…」

布施《ふせ》が答《こた》えると、円城《えんじょう》も「わ、私《わたし》は中学《ちゅうがく》の頃《ころ》テニスを少《すこ》し…」と続《つづ》いた。

「俺《おれ》は、登山部《とざんぶ》の幽霊部員《ゆうれいぶいん》だったけど…野球《やきゅう》なら…波士《はど》が高校《こうこう》までやってたよ…。強肩《きょうけん》の外野手《がいやしゅ》で、もう少《すこ》しで甲子園《こうしえん》ってトコまで行《い》ったらしいぜ？」

梶谷《かじや》が言《い》う。長年《ながねん》、波士《はど》を追《お》いかけていただけあって、かなりくわしいようだ。

「でも何《なん》で、そんな事《こと》をこの少年《しょうねん》は…」

「あ、いえ現場《げんば》から野球《やきゅう》のボールが見《み》つかったので…」

いぶかしげにする布施《ふせ》に、高木刑事《たかぎけいじ》があわてて説明《せつめい》する。野球《やきゅう》のボールと聞《き》いて、円城《えんじょう》は心当《こころあ》たりがあったらしく、おもむろに口《くち》を開《ひら》いた。

「そのボールなら多分《たぶん》…高校《こうこう》を卒業《そつぎょう》する時《とき》に、野球部《やきゅうぶ》のみんなからもらったボールだと思《おも》います…。『ミュージシャン頑張《がんば》れ』ってメッセージが入《はい》ってて、波土《はど》はいつも持《も》っていましたから…」

「さすが元《もと》カノ…詳《くわ》しいねぇ…」

梶谷《かじや》が、意地《いじ》の悪《わる》い笑《え》みを浮《う》かべる。

「その頃《ころ》から波土《はど》がデビューして、売《う》れるまで付《つ》き合《あ》っていたんだよな？　んで、この美人《びじん》マネージャーに横恋慕《よこれんぼ》して見事《みごと》にフラれたのが…その社長《しゃちょう》さんってわけだ…」

昔《むかし》の話《はなし》を掘《ほ》り起《お》こされ、布施《ふせ》は顔《かお》を赤《あか》くした。

「何年《なんねん》も前《まえ》の話《はなし》を…」

「いいじゃねぇか…」

にらみ合《あ》う布施《ふせ》と梶谷《かじや》の間《あいだ》に、目暮警部《めぐれけいぶ》が「ところで…」と割《わ》って入《はい》る。

「波土《はど》さんの携帯電話《けいたいでんわ》、どこにあるか知《し》りませんか？」

「彼《かれ》の控《ひか》え室《しつ》にも、荷物《にもつ》の中《なか》にも見当《みあ》たらなくて…」

と、高木刑事《たかぎけいじ》も困惑《こんわく》した様子《ようす》で言《い》う。

「携帯《けいたい》なら、波土《はど》はいつも胸《むね》のポケットに入《い》れてましたけど…」

円城《えんじょう》が答《こた》えたのを聞《き》いて、安室《あむろ》はハッと顔《かお》を上《あ》げた。

（胸《むね》のポケットに携帯《けいたい》…携帯《けいたい》…）

頭《あたま》をよぎるのは、スコッチが死《し》んだ日《ひ》のことだ。

（携帯《けいたい》…）


あの日《ひ》、ビルの屋上《おくじょう》まで駆《か》け上《あ》がった安室《あむろ》の目《め》に飛《と》び込《こ》んできたのは、壁《かべ》に寄《よ》りかかるようにして倒《たお》れているスコッチと、返《かえ》り血《ち》を浴《あ》びてたたずむ赤井《あかい》の姿《すがた》だった。

「おいスコッチ!?　しっかりしろ、スコッチ!!　スコッチ!?」

大声《おおごえ》で呼《よ》びかけても、スコッチの反応《はんのう》はない。安室《あむろ》は「くそっ！」と顔《かお》をゆがめ、血《ち》だらけになったスコッチの胸《むね》に耳《みみ》をあてた。

「心臓《しんぞう》の鼓動《こどう》を聞《き》いても無駄《むだ》だ…。死《し》んでるよ…。拳銃《けんじゅう》で心臓《しんぞう》を…ブチ抜《ぬ》いてやったからな…」

返《かえ》り血《ち》を手《て》でぬぐいながら言《い》うと、赤井《あかい》は手《て》に持《も》った拳銃《けんじゅう》を安室《あむろ》に見《み》せた。

「ライ…貴様《きさま》…」

「聞《き》いてないのか？　そいつは日本《にっぽん》の公安《こうあん》の犬《いぬ》だぞ…。残念《ざんねん》なのは…奴《やつ》の胸《むね》のポケットに入《はい》った携帯《けいたい》ごとブチ抜《ぬ》いてしまった事《こと》…。お陰《かげ》でそいつの身元《みもと》はわからずじまい…」

見《み》ると確《たし》かに、スコッチのシャツの左胸《ひだりむね》には携帯《けいたい》が入《はい》っていた。銃弾《じゅうだん》はこの携帯電話《けいたいでんわ》を貫通《かんつう》したらしく、粉々《こなごな》に割《わ》れてしまっている。

「幽霊《ゆうれい》を殺《ころ》したようで気味《きみ》が悪《わる》いぜ…」

そう言《い》うと、赤井《あかい》は安室《あむろ》に背《せ》を向《む》けて、立《た》ち去《さ》って行《い》った。


スコッチを殺《ころ》された悔《くや》しさが、胸《むね》にこみ上《あ》げてきて、安室《あむろ》はギリッと奥歯《おくば》を噛《か》みしめた。

「安室《あむろ》さん…。安室《あむろ》さん？　安室透《あむろとおる》さん？」

高木刑事《たかぎけいじ》から何度《なんど》も呼《よ》ばれ、安室《あむろ》はようやく「あ、はい？」と顔《かお》を上《あ》げた。

「これにあなたの名前《なまえ》と…『ゴメンな』の文字《もじ》を…」

高木刑事《たかぎけいじ》が、ノートとペンを差《さ》し出《だ》しながら言《い》う。

「えーっと…どうして？」

「聞《き》いてなかったんですか？　波土《はど》さんの胸《むね》のポケットに、この紙《かみ》が入《はい》っていたんです…」

高木刑事《たかぎけいじ》は、『ゴメンな』と書《か》かれたノートの切《き》れ端《はし》を安室《あむろ》に見《み》せた。

「もしかしたら犯人《はんにん》が携帯《けいたい》を抜《ぬ》いた代《か》わりに入《い》れた紙《かみ》かもしれないので…筆跡鑑定《ひっせきかんてい》をやる為《ため》に、ホール内《ない》の皆《みな》さんに書《か》いてもらおうかと…」

「そういう事《こと》なら…」

安室《あむろ》は右手《みぎて》にペンを取《と》ると、ノートに文字《もじ》を書《か》き始《はじ》めた。

「もちろんあなた方《がた》もお願《ねが》いしますね！」

高木刑事《たかぎけいじ》が、布施《ふせ》、円城《えんじょう》、梶谷《かじや》に言《い》う。

コナンがその様子《ようす》を見《み》ていると、蘭《らん》が背後《はいご》から声《こえ》をかけてきた。

「ねえ、コナン君《くん》？　梓《あずさ》さんの苗字《みょうじ》って何《なん》だっけ？」

「榎本《えのもと》だけど…何《なん》で？」

答《こた》えながら振《ふ》り返《かえ》ると、そこに立《た》っていたのは蘭《らん》ではなく、梓《あずさ》に変装《へんそう》したベルモットだった。

「ありがと♡」

ニコッと微笑《ほほえ》むベルモットを見《み》て、コナンはあんぐりと口《くち》を開《あ》けた。さっきの蘭《らん》の声《こえ》は、ベルモットが真似《まね》をしていたのだろう。有名《ゆうめい》な俳優《はいゆう》でもあるベルモットは、あらゆる人間《にんげん》の声《こえ》を真似《まね》ることができるのだ。

「梓《あずさ》さんも字《じ》を…」

高木刑事《たかぎけいじ》に声《こえ》をかけられ、ベルモットは「はーい！」と返事《へんじ》をして走《はし》って行《い》く。

(ベルモット…オレが変装《へんそう》に気《き》づいた事《こと》をわかってるのに、堂々《どうどう》と…。蘭達《らんたち》を巻《ま》き込《こ》まない為《ため》に、オレが騒《さわ》ぎ立《た》てないのを見越《みこ》してやがるな…)

ノートに自分《じぶん》の名前《なまえ》を書《か》かなければいけないのに、ベルモットは梓《あずさ》の苗字《みょうじ》を知《し》らなかったのだろう。だから、蘭《らん》のふりをしてコナンに聞《き》いたのだ。

ベルモットは、梓《あずさ》になりすまし、自然《しぜん》な演技《えんぎ》でノートに文字《もじ》を書《か》いている。その様子《ようす》を、蘭《らん》がじっと見《み》つめていた。蘭《らん》の心《こころ》に引《ひ》っかかっているのは、さっき梓《あずさ》に「エンジェル」と呼《よ》ばれたことだ。思《おも》い出《だ》せないけれど、前《まえ》にも誰《だれ》かに、「エンジェル」と呼《よ》ばれたことがあるような気《き》がする。

（エンジェル…エンジェル…。この呼《よ》ばれ方《かた》…どこかで…）

梓《あずさ》が文字《もじ》を書《か》き終《お》わると、高木刑事《たかぎけいじ》は、次《つぎ》の人《ひと》に声《こえ》をかけた。

「では次《つぎ》、円城《えんじょう》さん…。お願《ねが》いします…」

安室《あむろ》は、さりげなくベルモットの近《ちか》くに歩《あゆ》み寄《よ》ると、「よく知《し》ってましたね…梓《あずさ》さんの苗字《みょうじ》…」と、小声《こごえ》で話《はな》しかけた。

「事前《じぜん》に言《い》っておいてくれたら、もっと詳《くわ》しい情報《じょうほう》を教《おし》えられたのに、何《なん》で急《きゅう》に梓《あずさ》さんに変装《へんそう》して来《き》たんです？　未発表《みはっぴょう》の歌詞《かし》の内容《ないよう》を調《しら》べる事《こと》ぐらい、僕《ぼく》1人《り》でできましたよ…」

どうやら、ベルモットが梓《あずさ》に変装《へんそう》してここに来《く》ることを、安室《あむろ》は知《し》らされていなかったらしい。

「あなたが、彼女達《かのじょたち》と共《とも》にここへ来《く》るって聞《き》いて、不安《ふあん》になったのよ…。私《わたし》との約束《やくそく》を守《まも》ってくれるかどうかがね…」

「ああ…何《なに》があってもあの2人《り》には危害《きがい》は加《くわ》えないっていう、アレですね？」

あの二人《ふたり》とは、蘭《らん》とコナンのこと。冷酷《れいこく》なベルモットだが、なぜか二人《ふたり》のことだけは守《まも》ろうとするのだ。

「ねぇ、それより…彼《かれ》…何者《なにもの》なの？」

ベルモットが、沖矢《おきや》の方《ほう》を見《み》て聞《き》く。

「沖矢昴《おきやすばる》っていう東都大学《とうとだいがく》の大学院生《だいがくいんせい》で…住《す》んでいるのは、阿笠《あがさ》という博士《はかせ》の家《いえ》の隣《となり》の…」

言《い》いながら沖矢《おきや》の方《ほう》を振《ふ》り返《かえ》り、安室《あむろ》は「!!」と目《め》を見開《みひら》いた。

沖矢《おきや》は、ペンを左手《ひだりて》に持《も》ち、ノートに文字《もじ》を書《か》いていた。さらさらっと書《か》き終《お》えると、高木刑事《たかぎけいじ》が「はい、どーも…」とペンとノートを回収《かいしゅう》していく。

安室《あむろ》は寄《よ》って行《い》って、「左利《ひだりき》きなんですね？」と沖矢《おきや》に声《こえ》をかけた。

「ええ、まぁ…。いけませんか？」

「いえいえ…この前《まえ》お会《あ》いした時《とき》は、右手《みぎて》でマスクを取《と》られていたので…右利《みぎき》きかなぁと

「…」

「そうでしたか？」

「まぁ気《き》にしないでください…」

両手《りょうて》のひらを見《み》せて言《い》うと、安室《あむろ》はふいに声《こえ》を低《ひく》くして、強《つよ》い視線《しせん》を沖矢《おきや》に向《む》けた。

「殺《ころ》したい程憎《ほどにく》んでいる男《おとこ》が…左利《レフティ》きなだけですから…」

高木刑事《たかぎけいじ》が、関係者《かんけいしゃ》に順番《じゅんばん》に文字《もじ》を書《か》いてもらっていると、鑑識《かんしき》から連絡《れんらく》が入《はい》った。すぐさま目暮警部《めぐれけいぶ》のもとへ走《はし》り、報告《ほうこく》を入《い》れる。

「何《なに》!? 紙《かみ》に書《か》いてあった文字《もじ》は、被害者《ひがいしゃ》、波土禄道本人《はどろくみちほんにん》の文字《もじ》だった!? じゃあ被害者《ひがいしゃ》は、自分《じぶん》で『ゴメンな』と書《か》いた紙《かみ》を胸《むね》のポケットに入《い》れていたという事《こと》かね？」

「は、はい…。鑑識《かんしき》さんの話《はなし》だと、紙《かみ》は、被害者《ひがいしゃ》が歌詞《かし》を書《か》く時《とき》に使《つか》っていたメモ帳《ちょう》の一《いち》枚《まい》で…そのメモ帳《ちょう》に書《か》かれていた他《ほか》の歌詞《かし》の字《じ》と一致《いっち》したそうです…。まぁ…さっき皆《みな》さんに書《か》いてもらった文字《もじ》とは、まだ照合《しょうごう》していないそうですが…まず間違《まちが》いないかと…」

「ウーム、となると…被害者《ひがいしゃ》は誰《だれ》かに負《お》い目《め》を感《かん》じていて…それが殺人《さつじん》の動機《どうき》になった可《か》能性《のうせい》が高《たか》いな…。その負《お》い目《め》に関《かん》して、何《なに》か心当《こころあ》たりはないのかね？」

「負《お》い目《め》はよくわかりませんけど…引《ひ》け目《め》なら…」

円城《えんじょう》が、目暮警部《めぐれけいぶ》の質問《しつもん》に答《こた》えて言《い》った。

「『自分《じぶん》は親《した》しみにくい顔《かお》だから、他《ほか》のイケメンミュージシャンと差《さ》を詰《つ》めるのに苦労《くろう》する』って…波士《はど》はよくもらしてましたから…」

「ホー…」

確《たし》かに、波士《はど》は輪郭《りんかく》が角《かど》ばっていて、鋭《するど》い目《め》つきをしている。しかし、親《した》しみにくい顔《かお》をしているというだけでは、ノートに『ゴメンな』と書《か》き残《のこ》す理由《りゆう》にはならないだろう。

「『まあ、気《き》にするな』と、私《わたし》は彼《かれ》に言《い》ってましたよ…。君《きみ》の近寄《ちかよ》り難《がた》いその雰囲気《ふんいき》も…魅力《みりょく》の一《ひと》つだってね…」

布施《ふせ》が言《い》うと、園子《そのこ》は「そーいえば」と蘭《らん》の方《ほう》へ顔《かお》を向《む》けた。

「波士《はど》さんって、最近《さいきん》イメージ変《か》わったよね？」

「うん…何《なん》か前《まえ》よりソフトになった感《かん》じ…」

園子《そのこ》と蘭《らん》の会話《かいわ》を聞《き》いたコナンは、「変《か》わったって、どの辺《へん》が？」と質問《しつもん》した。

「うーん、なんとなく印象《いんしょう》が…」

蘭《らん》があいまいに言《い》い、園子《そのこ》も「顔《かお》かなぁ？」と首《くび》をひねる。

「そういやぁ、波土《はど》が整形《せいけい》したって噂《うわさ》もあったねぇ…もっともそいつは、波土《はど》が高校《こうこう》を卒《そつ》業《ぎょう》した頃《ころ》の話《はなし》…だったかな？」

意地《いじ》の悪《わる》い笑《え》みを見《み》せる梶谷《かじや》に、円城《えんじょう》は「前《まえ》にも言《い》ったでしょ？　そんなのデマだって！」と目《め》を吊《つ》り上《あ》げた。

「だってその頃《ころ》はお金《かね》がなくて、私《わたし》も彼《かれ》も毎日《まいにち》のように運送会社《うんそうがいしゃ》でバイトして…ミュージシャンを続《つづ》けるお金《かね》を稼《かせ》いでたんだから!!」

「…なのに波土《はど》は、苦労《くろう》を共《とも》にしたアンタを捨《す》てて、別《べつ》の女《おんな》と結婚《けっこん》しちまったんだよなぁ？　確《たし》か結婚《けっこん》したのは16年前《ねんまえ》…。んで、今回発表《こんかいはっぴょう》する予定《よてい》だった『ASACA《アサカ》』が作曲《さっきょく》されたのが17年前《ねんまえ》…。歌詞《かし》も付《つ》けずに17年間《ねんかんほう》放ってておいた訳《わけ》…何《なに》かあるんじゃねぇのか？」

まくしたてる梶谷《かじや》に堪《た》え兼《か》ねて、布施《ふせ》は「おい君《きみ》!?　もうよさないか!!」と止《と》めに入《はい》った。しかし梶谷《かじや》は、今度《こんど》は話《はなし》の矛先《ほこさき》を布施《ふせ》に向《む》け始《はじ》めた。

「社長《しゃちょう》さん…アンタも何《なに》か知《し》ってんだろ？　前《まえ》のライブの後《あと》、波土《はど》がアンタに食《く》ってかかってたそうじゃねぇか…。『17年間《ねんかん》なぜそれを黙《だま》ってた』って…。そしてそのゴタゴタの後《あと》、急《きゅう》に波土《はど》は新曲《しんきょく》『ＡＳＡＣＡ《アサカ》』を出《だ》すと発表《はっぴょう》した…。何《なに》かあるとしか思《おも》えないがねぇ…」

「それは本当《ほんとう》ですか？」

目暮警部《めぐれけいぶ》に確認《かくにん》され、布施《ふせ》は「あ、いや…」とあわてて説明《せつめい》した。

「彼《かれ》がウチのレコード会社《がいしゃ》の所属《しょぞく》になったのが17年前《ねんまえ》なんですが…『君《きみ》をウチでデビューさせた本当《ほんとう》の理由《りゆう》は…じ、実《じつ》は私《わたし》が、この円城《えんじょう》さんに一目惚《ひとめぼ》れして言《い》い寄《よ》る為《ため》だった』と、冗談《じょうだん》まじりに彼《かれ》に話《はな》したんです…」

布施《ふせ》は、気《き》まずげに円城《えんじょう》の方《ほう》を見《み》ると、顔《かお》を赤《あか》くして続《つづ》けた。

「そうしたら彼《かれ》が、予想以上《よそういじょう》に怒《おこ》り出《だ》したんです…。『それが本当《ほんとう》なら引退《いんたい》する』って…」

「なるほど…」

布施《ふせ》、円城《えんじょう》、波土《はど》の関係性《かんけいせい》は、少《すこ》しこじれていた時期《じき》があったようだ。

「し、しかし、波土《はど》さんが殺《ころ》される動機《どうき》には、ならなさそうですね…」

高木刑事《たかぎけいじ》がつぶやくと、布施《ふせ》は「そりゃそうですよ…」とうなずいた。

「そのモメ事《ごと》があった後《あと》は、彼《かれ》も気《き》を鎮《しず》めて下山《げざん》してましたから…」

「下山《げざん》？」と、目暮警部《めぐれけいぶ》が聞《き》きとがめる。

「彼《かれ》も私《わたし》も、登山《とざん》が趣味《しゅみ》でねぇ…。ライブの後《あと》は夜中《よなか》から山《やま》を登《のぼ》り始《はじ》めて…山頂《さんちょう》で朝日《あさひ》を眺《なが》めながら、淹《い》れたてのコーヒーを味《あじ》わうのがルーティーンだったんです…。デビュー前《まえ》もそうだったと彼《かれ》は言《い》ってたが…」

布施《ふせ》に確認《かくにん》され、円城《えんじょう》は「ええ…」とうなずいた。

「さすがに山《やま》は登《のぼ》りませんでしたけど…徹夜《てつや》で作曲《さっきょく》した後《あと》は、よく朝《あさ》からやってるカフェでコーヒーを…」

「登山《とざん》といえばあなたも登山部《とざんぶ》だったそうですが…」

高木刑事《たかぎけいじ》に水《みず》を向《む》けられ、梶谷《かじや》は、

「言《い》っただろ？　幽霊部員《ゆうれいぶいん》だったって…だから、ザイルの結《むす》び方《かた》も知《し》らねぇよ…」

と、うっとうしそうに言《い》った。

「登山家《とざんか》なら、ロープの扱《あつか》いに慣《な》れていそうだが…」

「今回《こんかい》の犯行《はんこう》は無理《むり》そうですね…」

目暮警部《めぐれけいぶ》と高木刑事《たかぎけいじ》が言《い》い合《あ》うのを聞《き》いて、梶谷《かじや》は前《まえ》のめりになった。

「おい、どういう事《こと》だ？　波土《はど》はロープで殺《ころ》されたのか？」

「ええ…ステージで肩《かた》からギターをかけたまま、首《くび》をロープで3m《メートル》近《ちか》く吊《つ》り上《あ》げられて…」

高木刑事《たかぎけいじ》が答《こた》えると、梶谷《かじや》はニヤリとほくそ笑《え》んだ。

「だったら熱狂的《ねっきょうてき》なファンの仕業《しわざ》かもしれねぇぞ？　波土《はど》は、ブログでよく『死《し》ぬ時《とき》は、ステージの上《うえ》で果《は》てたい』って呟《つぶや》いていたからよ…。ファンがその望《のぞ》みを叶《かな》えたんじゃねえか？」

「ホー…ブログでそんな事《こと》を…？」

目暮警部《めぐれけいぶ》が真《ま》に受《う》けるが、布施《ふせ》と円城《えんじょう》は、

「ものの例《たと》えですよ…」

「それだけ音楽《おんがく》に真剣《しんけん》に取《と》り組《く》んでたって事《こと》です！」

と、口々《くちぐち》に否定《ひてい》した。

「まあ、そういう事《こと》なら俺《おれ》は帰《かえ》らせてもらうぜ？」

飽《あ》きたように言《い》うと、梶谷《かじや》はくるりと踵《きびす》を返《かえ》した。

「あ…ちょっと…」

「だってよー、波土《はど》は、3m《メートル》近《ちか》く吊《つ》り上《あ》げられていたんだろ？　なのに、容疑者《ようぎしゃ》である俺《おれ》達《たち》3人《にん》のアリバイのない時間《じかん》が重《かさ》なっていないのなら…誰《だれ》かと誰《だれ》かが協力《きょうりょく》してやらかした可能性《かのうせい》はゼロ…。誰《だれ》にも出来《でき》ねぇ不可能犯罪《ふかのうはんざい》なんだからよ‼」

高木刑事《たかぎけいじ》をぴしゃりと怒鳴《どな》りつけると、梶谷《かじや》は話《はなし》は終《お》わったとばかりに、出口《でぐち》に向《む》かって歩《ある》いて行《い》ってしまった。

そのやり取《と》りを聞《き》いていた沖矢《おきや》は、腕組《うでぐ》みをしたまま、スコッチが死《し》んだ時《とき》の記憶《きおく》を思《おも》い出《だ》していた。

同様《どうよう》に、安室《あむろ》も当時《とうじ》のことを思《おも》い出《だ》し、怒《いか》りに燃《も》える目《め》で沖矢《おきや》をにらみつけた。

(あの時《とき》、アイツの右手《みぎて》は血《ち》まみれだったのに…親指《おやゆび》の先《さき》と手《て》の甲《こう》には血《ち》が付《つ》いてなかった…。つまりアイツが自分《じぶん》で引《ひ》き金《がね》に親指《おやゆび》をかけ…自分《じぶん》を撃《う》ったという事《こと》…。アイツに自《じ》分《ぶん》の拳銃《けんじゅう》を渡《わた》し…そうさせたのは赤井秀一《あかいしゅういち》…)

電話《でんわ》でスコッチは、これから自殺《じさつ》すると安室《あむろ》に告《つ》げた。あの時《とき》、赤井《あかい》は、スコッチの自《じ》殺《さっ》を止《と》めるどころか、自分《じぶん》の拳銃《けんじゅう》を渡《わた》して胸《むね》を撃《う》たせたのだ。

スコッチの遺体《いたい》を前《まえ》に、「気味《きみ》が悪《わる》いぜ…」と言《い》いながら去《さ》って行《い》ったライの後《うし》ろ姿《すがた》を思《おも》い出《だ》し、安室《あむろ》は悔《くや》しさに瞳《ひとみ》を震《ふる》わせた。

(あれ程《ほど》の男《おとこ》なら、自決《じけつ》させない道《みち》をいくらでも選択出来《せんたくでき》ただろうに…)

赤井《あかい》が、スコッチをみすみす自殺《じさつ》させたことが許《ゆる》せない。——それこそが、安室《あむろ》が赤井《あかい》を、殺《ころ》したいほど憎《にく》い男《おとこ》だと言《い》い切《き》る理由《りゆう》なのだった。

「ねぇ何《なん》なの？」

梓《あずさ》に変装《へんそう》したベルモットの声《こえ》で、安室《あむろ》は「え？」と我《われ》に返《かえ》った。

「さっきからあの男《おとこ》を睨《にら》んでるけど何《なに》かあるの？」

「あ、いえ…」

安室《あむろ》は沖矢《おきや》から視線《しせん》をそらすと、表情《ひょうじょう》をいつものおだやかな笑顔《えがお》に戻《もど》した。

「どーでもいいけど、早《はや》くこの殺《ころ》し…解決《かいけつ》してくれない？　変装《へんそう》したままここに長居《ながい》するのは危険《きけん》なんだから…」

うんざりしたように言《い》われ、安室《あむろ》は「ですよね…」と軽《かる》くうなずいた。

高木刑事《たかぎけいじ》は、帰《かえ》ろうとする梶谷《かじや》をなんとか引《ひ》き留《と》めようとしていた。

「おい！　帰《かえ》らせろよ‼　編集部《へんしゅうぶ》に早《はや》く戻《もど》って、この事件《じけん》の記事《きじ》を書《か》かなきゃならねぇんだからよ‼」

「その前《まえ》にそのカバンの中身《なかみ》を…」

「離《はな》せ！　商売道具《しょうばいどうぐ》に触《さわ》るんじゃねぇ‼　離《はな》せって言《い》ってんだろ⁉」

高木刑事《たかぎけいじ》にカバンをつかまれ、梶谷《かじや》は力任《ちからまか》せにグイッと引《ひ》っ張《ぱ》った。

ブン‼

カバンは高木刑事《たかぎけいじ》の手《て》から離《はな》れ、勢《いきお》い余《あま》って、近《ちか》くを歩《ある》いていた鑑識《かんしき》の男《おとこ》にぶつかってしまった。

「あ…」

あ然《ぜん》とする梶谷《かじや》の目《め》の前《まえ》で、鑑識《かんしき》の男《おとこ》は床《ゆか》にしりもちをつき、「痛《いた》たた…」と顔《かお》をゆがめた。

「お、俺《おれ》のせいじゃねぇぞ…この刑事《けいじ》がよォ…」

梶谷《かじや》が気《き》まずげに弁解《べんかい》する。

しりもちをついた時《とき》の衝撃《しょうげき》で、鑑識《かんしき》の男《おとこ》は、運《はこ》んでいた荷物《にもつ》を床《ゆか》にぶちまけてしまっていた。

「しょ、証拠品《しょうこひん》が…」

あせる鑑識《かんしき》の男《おとこ》に、蘭《らん》と園子《そのこ》は「拾《ひろ》うの手伝《てつだ》います…」と声《こえ》をかけた。

「す、すみません…」

床《ゆか》に散《ち》らばった証拠品《しょうこひん》を、一《ひと》つずつ拾《ひろ》い集《あつ》める。コナンも手伝《てつだ》いながら、さりげなく、どんな証拠品《しょうこひん》があるのか確認《かくにん》した。

(ん？　車《くるま》の免許証《めんきょしょう》…波土《はど》さんのか…)

免許証《めんきょしょう》の写真《しゃしん》には、いかつい顔《かお》でこちらをにらむ波土《はど》の顔《かお》が写《うつ》っていた。

(確《たし》かに…近寄《ちかよ》り難《がた》いオーラ出《で》てるな…)

床《ゆか》に落《お》ちた証拠品《しょうこひん》の中《なか》には、安室《あむろ》がステージのソデで見《み》つけたロープもあった。ロープは、小《ちい》さくまとめられ、きちんと束《たば》ねられている。コナンは改《あらた》めて観察《かんさつ》した。

「はい！」

「これで全部《ぜんぶ》ね！」

園子《そのこ》と蘭《らん》が拾《ひろ》い集《あつ》めた証拠品《しょうこひん》を手渡《てわた》すと、鑑識《かんしき》の男《おとこ》は「ありがとう！」とお礼《れい》を言《い》って受《う》け取《と》った。

目暮警部《めぐれけいぶ》と高木刑事《たかぎけいじ》は、梶谷《かじや》のカバンを押収《おうしゅう》して中身《なかみ》を調《しら》べていた。すると、カバンの奥《おく》の方《ほう》に隠《かく》すようにして、デジタルカメラがしまわれている。

「おや？　カバンの中《なか》にデジカメが入《はい》っているようだが…」

梶谷《かじや》は、「さ、触《さわ》るなよ!!」と、あからさまにうろたえ始《はじ》めた。こんなに嫌《いや》がるということは、何《なに》か見《み》られたらまずい理由《りゆう》があるのだろう。

「撮《と》った写真《しゃしん》を確認《かくにん》しても構《かま》いませんな？」

梶谷《かじや》は青《あお》ざめて唇《くちびる》を噛《か》むと、「か…勝手《かって》にしやがれ…」としぶしぶ了承《りょうしょう》した。


梶谷《かじや》のカメラに保存《ほぞん》されていたのは、今日《きょう》のリハーサルのために会場入《かいじょうい》りする波士《はど》の写《しゃ》真《しん》だった。一枚目《いちまいめ》の写真《しゃしん》には、キャップとサングラスで顔《かお》を隠《かく》した姿《すがた》。二枚目《にまいめ》と三枚目《さんまいめ》の写真《しゃしん》では、梶谷《かじや》に気《き》づいた波土《はど》が、怒《おこ》ってカメラを取《と》り上《あ》げようとする様子《ようす》が撮影《さつえい》されている。

「なるほど…。ホールに入《はい》る波土《はど》さんを隠《かく》し撮《ど》りしていたが…波土《はど》さんに見《み》つかり…カメラを取《と》り上《あ》げられそうになった…。そういう事《こと》ですな？」

他人《たにん》を隠《かく》し撮《ど》りするなんて、明《あき》らかな迷惑行為《めいわくこうい》だ。目暮警部《めぐれけいぶ》ににらまれ、梶谷《かじや》は「あ、ああ…まぁ…」とうなずいた。

「その時《とき》…彼《かれ》は何《なん》と？」

「べ、別《べつ》に…。『勝手《かって》に撮《と》るな』と言《い》われただけで…」

梶谷《かじや》がしどろもどろになっているところへ、高木刑事《たかぎけいじ》が「警部《けいぶ》!!」と駆《か》け込《こ》んできた。

「そのイザコザを見《み》ていた人《ひと》がいて…波土《はど》さんはすごい剣幕《けんまく》で『今度俺《こんどおれ》に近《ちか》づいたらブッ殺《ころ》してやる』って怒鳴《どな》っていたそうです！」

「…なのにアンタは、スタッフジャンパーを手《て》に入《い》れて、ここへ入《はい》ったというわけか…」

目暮警部《めぐれけいぶ》が言《い》うと、梶谷《かじや》は開《ひら》き直《なお》って言《い》い訳《わけ》した。

「し、仕事《しごと》だからしゃーねぇだろ⁉　い、いつも波土《はど》に張《は》り付《つ》いてたから、煙《けむ》たがられてただけだしよ…」

「あ…それと…明日《あした》のライブで波土《はど》さんのバックで演奏《えんそう》する予定《よてい》だった、バンドのメンバーの1人《り》が…ついさっきファミレスで食事《しょくじ》していた所《ところ》を麻薬取締官《マトリ》に逮捕《たいほ》されたそうです！」

高木刑事《たかぎけいじ》の報告《ほうこく》を聞《き》いて、目暮警部《めぐれけいぶ》は「何《なに》⁉」と目《め》を見開《みひら》いた。

「覚醒剤所持《かくせいざいしょじ》の現行犯《げんこうはん》で…」

「じゃあまさか被害者《ひがいしゃ》も麻薬《まやく》を？」

「それはまだわかりませんが…本当《ほんとう》なら明日《あした》のライブの直後《ちょくご》に…ここへ踏《ふ》み込《こ》む予定《よてい》だったそうですから…」

「この殺《ころ》しと何《なに》か関係《かんけい》があるかもしれんな…」

目暮警部《めぐれけいぶ》と高木刑事《たかぎけいじ》の会話《かいわ》を聞《き》いたコナンは、「ねぇねぇ、鑑識《かんしき》さん！」と、鑑識《かんしき》の男《おとこ》に話《はな》しかけた。

「ん？」

コナンは鑑識《かんしき》の男《おとこ》の耳元《みみもと》に口《くち》を寄《よ》せると、「…とか落《お》ちてなかった？」と、わざと周《まわ》りに聞《き》こえるくらいの声《こえ》で質問《しつもん》した。

「梓姉《あずさねえ》ちゃん、片方《かたほう》だけ落《お》としちゃったみたいなんだけど…」

(片方《かたほう》だけ…落《お》とした？)

コナンの発言《はつげん》を聞《き》いた沖矢《おきや》と安室《あむろ》は、すぐに「!!」とピンときた。

「いや…そんな物《もの》はステージの周《まわ》りには落《お》ちてなかったよ…」

鑑識《かんしき》の男《おとこ》の答《こた》えに、コナンは「じゃあなくなった物《もの》は？」と質問《しつもん》を重《かさ》ねた。

「たとえば針金《はりがね》とか…軍手《ぐんて》とか…」

「あ、ああ…。スタッフがステージのソデに置《お》いてた工具箱《こうぐばこ》の中《なか》から…その2つがなくなってるらしいよ…」

「じゃあさ…工具箱《こうぐばこ》の横《よこ》に立《た》ててあったパイプイスも、スタッフさんがそこに置《お》いたの？」

「いや、休憩用《きゅうけいよう》のパイプイスだからもっと奥《おく》に置《お》いてあったらしいんだけど…」

コナンと鑑識《かんしき》の男《おとこ》との会話《かいわ》を、安室《あむろ》も沖矢《おきや》も注目《ちゅうもく》して聞《き》いている。

と、ロビーの外《そと》から、運送業者《うんそうぎょうしゃ》たちが話《はな》す声《こえ》が聞《き》こえてきた。

「おい！　この機材《きざい》、このまま持《も》ち帰《かえ》るみたいだぞ？　何《なん》かライブは中止《ちゅうし》になったって…」

「何《なん》だよ…せっかくほどいたのに…結《むす》び直《なお》しかよ？」

ライブが中止《ちゅうし》になったことを知《し》り、運送業者《うんそうぎょうしゃ》たちはブツクサ言《い》いながら、荷物《にもつ》を固定《こてい》していたロープをまた結《むす》び始《はじ》めた。

その様子《ようす》を見《み》た安室《あむろ》は、コナンと話《はな》している鑑識《かんしき》の男《おとこ》のもとへ近《ちか》づいた。

「あの——…そのパイプイスも調《しら》べたんですよね？」

「いや、指紋《しもん》とかはまだ…。でも、妙《みょう》な場所《ばしょ》に置《お》いてあったので、一応《いちおう》持《も》ち帰《かえ》って調《しら》べようと…別《べつ》の鑑識官《かんしきかん》がマイクスタンドと一緒《いっしょ》に…」

パイプイスは、別《べつ》の鑑識《かんしき》によって、マイクスタンドと一緒《いっしょ》にちょうど会場《かいじょう》から持《も》ち出《だ》されるところだ。沖矢《おきや》は、「すみません…」と声《こえ》をかけた。

「ちょっと座面《ざめん》の裏《うら》を…」

「え？」

沖矢《おきや》と安室《あむろ》は、パイプイスの座面《ざめん》の裏《うら》を確認《かくにん》させてもらった。するとそこには、丸《まる》い小《ちい》さなビニール片《へん》のようなものが貼《は》りついている。

(やはり…そういう事《こと》か…)

安室《あむろ》は自信《じしん》に満《み》ちて唇《くちびる》の端《はし》を上《あ》げ、沖矢《おきや》も自分《じぶん》の推理《すいり》に確信《かくしん》を持《も》った。

「あのー、もういいですか？」

パイプイスの座面《ざめん》の裏《うら》を凝視《ぎょうし》する沖矢《おきや》と安室《あむろ》に、鑑識《かんしき》がいぶかしげに声《こえ》をかける。

「あ、はい…」

沖矢《おきや》がうなずくと、鑑識《かんしき》はパイプイスを持《も》ち直《なお》してまた運《はこ》び始《はじ》めた。

「すみませーん、通《とお》ります…どいてくださーい…」

ロビーにいた蘭《らん》と園子《そのこ》に声《こえ》をかけ、外《そと》に向《む》かって歩《ある》いて行《い》く。


「どいてくださいねー…」

鑑識《かんしき》に言《い》われた「どいて」という言葉《ことば》を聞《き》いて、蘭《らん》は昔《むかし》の記憶《きおく》を思《おも》い出《だ》していた。

(どいて…どいて…)

以前《いぜん》、灰原哀《はいばらあい》が、怪《あや》しい女《おんな》に誘拐《ゆうかい》された時《とき》のことだ。女《おんな》は、灰原《はいばら》をかばう蘭《らん》に銃《じゅう》を向《む》け、こう語《かた》りかけた。

「さあどきなさい、その茶髪《ちゃぱつ》の子《こ》から…。死《し》にたくなければ早《はや》く…。さあ早《はや》く…」

しかし蘭《らん》は動《うご》かず、しびれを切《き》らした女《おんな》は、英語《えいご》で声《こえ》を張《は》り上《あ》げた。

「Move《ムーブ》 it《イット》, Angel《エンジェル》!!（どいて、エンジェル!!）」

（そうだ…あの時《とき》、コナン君《くん》と哀《あい》ちゃんを誘拐《ゆうかい》しようとした…怪《あや》しい女《おんな》の人《ひと》がわたしの事《こと》をそう呼《よ》んでた…。顔《かお》は見《み》てないけど…でも何《なん》であの女《おんな》の人《ひと》と同《おな》じ呼《よ》び方《かた》を…梓《あずさ》さんが…）

蘭《らん》は困惑《こんわく》して、安室《あむろ》と話《はな》す梓《あずさ》の方《ほう》を振《ふ》り返《かえ》った。

（どうして？）


コナン、沖矢《おきや》、そして安室《あむろ》は、ほとんど同時《どうじ》に事件《じけん》の真相《しんそう》にたどり着《つ》いた。

三人《さんにん》からそのことを聞《き》かされ、目暮警部《めぐれけいぶ》も高木刑事《たかぎけいじ》も、驚《おどろ》いてしまった。

「わ、わかった!? 犯人《はんにん》が被害者《ひがいしゃ》を吊《つ》り上《あ》げたトリックが!? 本当《ほんとう》かね!?」

目暮警部《めぐれけいぶ》に詰《つ》め寄《よ》られ、安室《あむろ》は「ええ、多分《たぶん》…」とうなずいた。

「し、しかし…被害者《ひがいしゃ》の波士《はど》さんは3m《メートル》近《ちか》く吊《つ》り上《あ》げられていて…そのロープの先《さき》は、客《きゃく》席《せき》に結《むす》び付《つ》けられていたんですよ？　しかも犯行時刻《はんこうじこく》にアリバイがないのはこの円城《えんじょう》さんと布施《ふせ》さんと梶谷《かじや》さんの3人《にん》ですが…アリバイのない時間《じかん》は、3人共重《にんともかさ》なっていなくて、共犯《きょうはん》は不可能《ふかのう》…。なのに、どうやって3m《メートル》も…」

状況《じょうきょう》を整理《せいり》して、改《あらた》めて不可解《ふかかい》そうにする高木刑事《たかぎけいじ》に、安室《あむろ》は強気《つよき》な笑《え》みを向《む》けた。

「被害者《ひがいしゃ》をイスに座《すわ》らせていたのなら、吊《つ》るのは約《やく》2m《メートル》…。実際《じっさい》にやってみましょう…。もう鑑識《かんしき》さんに新《あたら》しいロープを用意《ようい》してもらい…準備《じゅんび》してもらっていますから…」

安室《あむろ》の依頼《いらい》で、ステージの上《うえ》では、波士《はど》の遺体《いたい》が発見《はっけん》された時《とき》の状況《じょうきょう》が再現《さいげん》されていた。

ステージの中央《ちゅうおう》にパイプイスが置《お》かれ、天井近《てんじょうちか》くに設置《せっち》されたバーには長《なが》いロープが渡《わた》されている。高木刑事《たかぎけいじ》は、波士《はど》の遺体役《いたいやく》として胴体《どうたい》にロープを巻《ま》かれて、パイプイスに座《すわ》らされた。

「——っとまあ一応《いちおう》…スポットライトが付《つ》いたバーにロープを渡《わた》し…そのロープの片方《かたほう》を

イスに座《すわ》った高木君《たかぎくん》の体《からだ》に結《むす》び付《つ》けたが…。本当《ほんとう》に、人間《にんげん》1人《り》の力《ちから》で吊《つ》り上《あ》げられるのかね？」

目暮警部《めぐれけいぶ》が、ロープを確認《かくにん》しながら聞《き》く。

安室《あむろ》は自信満々《じしんまんまん》に「もちろん！」とうなずくと、ステージに上《あ》がり、ロープの一端《いったん》を手《て》に取《と》った。

「まずはステージの上《うえ》で、上《うえ》から垂《た》れてるロープを、こういう風《ふう》に輪《わ》を作《つく》りながら持《も》ち…下《した》の輪《わ》を上《うえ》の輪《わ》に手前《てまえ》からくぐらせるように2回巻《かいま》きつけ…下側《したがわ》の輪《わ》をねじりながらその輪《わ》の中《なか》に…輪《わ》より下《した》に垂《た》れているロープの途中《とちゅう》の部分《ぶぶん》をこう通《とお》して…」

安室《あむろ》がロープを複雑《ふくざつ》に結《むす》ぶと、ロープの途中《とちゅう》に大《おお》きな輪《わ》ができた。

「できた大《おお》きな輪《わ》の先《さき》を、２ｍ《メートル》ぐらい下《した》の客席《きゃくせき》のテスリにひっかけます…。こんな具合《ぐあい》に…」

安室《あむろ》は、客席《きゃくせき》のイスの肘置《ひじお》きに、ロープの輪《わ》っかを通《とお》した。

「次《つぎ》に、輪《わ》ではない方《ほう》のロープを、テスリの内側《うちがわ》にひっかけるように通《とお》して…再《ふた》びさっきと同《おな》じ輪《わ》を作《つく》り、ロープの途中《とちゅう》を通《とお》して…できた大《おお》きな輪《わ》とロープを…今度《こんど》は４ｍ《メートル》ぐらい離《はな》れた席《せき》のテスリに…ひっかけて…」

安室《あむろ》は、最初《さいしょ》に輪《わ》をかけた客席《きゃくせき》から4メートルほど離《はな》れた別《べつ》の客席《きゃくせき》の肘置《ひじお》きに、新《あたら》しく作《つく》った輪《わ》をひっかけた。

「もう一度同《いちどおな》じ輪《わ》を作《つく》って、ロープの途中《とちゅう》を通《とお》し…できた大《おお》きな輪《わ》だけを持《も》って…今度《こんど》は8m《メートル》ぐらい離《はな》れた席《せき》の…テスリにひっかければ…後《あと》は3番目《ばんめ》に作《つく》った小《ちい》さな輪《わ》の所《ところ》へ戻《もど》り…余《あま》ったロープを引《ひ》くだけ…」

複雑《ふくざつ》な手順《てじゅん》をすらすらと説明《せつめい》しながら、安室《あむろ》はロープの途中《とちゅう》を通《とお》した輪《わ》の前《まえ》まで行《い》くと、ロープの端《はし》を手《て》に取《と》って園子《そのこ》の方《ほう》を振《ふ》り返《かえ》った。

「じゃあ一番非力《いちばんひりき》そうな園子《そのこ》さん…。引《ひ》いてくれますか？」

「わ、わたし!?　い、いいけど…」

園子《そのこ》はとまどいながらも、言《い》われるがままロープの端《はし》を引《ひ》っ張《ぱ》った。

「どーせわたしじゃ、持《も》ち上《あ》がら…」

フワッ。

園子《そのこ》がロープを引《ひ》くと、その先《さき》に結《むす》びつけられていた高木刑事《たかぎけいじ》の体《からだ》が、いとも簡単《かんたん》に持《も》ち上《あ》がった。

まさか園子《そのこ》に持《も》ち上《あ》げられると思《おも》っていなかったのか、高木刑事《たかぎけいじ》は「わわわっ⁉」と驚《おどろ》いて体《からだ》を泳《およ》がせる。園子《そのこ》も「ウソ…何《なん》で⁉」と、目《め》を丸《まる》くした。

「滑車《かっしゃ》の原理《げんり》…ですよね？　沖矢《おきや》さん」

安室《あむろ》に名前《なまえ》を呼《よ》ばれ、沖矢《おきや》は「ええ…」とうなずいた。

「ロープの途中《とちゅう》に作《つく》った小《ち》いさな輪《わ》が滑車《かっしゃ》の役目《やくめ》を果《は》たし…1つの輪《わ》ごとに2倍《ばい》、4倍《ばい》、8倍《ばい》の力《ちから》でロープを引《ひ》く事《こと》ができるんです…。実際《じっさい》には滑車《かっしゃ》ではなくロープの輪《わ》ですから、摩擦《まさつ》の影響《えいきょう》で8倍《ばい》とはいきませんが…軽《かる》くて滑《すべ》りのいいロープを使《つか》えば、園子《そのこ》さんでも高木刑事《たかぎけいじ》を吊《つ》り上《あ》げられる…」

この方法《ほうほう》なら、より少《すく》ない力《ちから》で物《もの》を動《うご》かすことができる。犯人《はんにん》は、ロープを使《つか》って滑車《かっしゃ》の仕組《しく》みを再現《さいげん》することで、波土《はど》の体《からだ》を吊《つ》るしたのだ。

「なお、これは『輸送結《ゆそうむす》び』といい、運送業者《うんそうぎょうしゃ》が積《つ》み荷《に》を固定《こてい》する時《とき》に使《つか》うロープの結《むす》び方《かた》…。つまり、波土《はど》さんを吊《つ》り上《あ》げた犯人《はんにん》として一番疑《いちばんうたが》わしいのは…若《わか》い頃《ころ》、運送業者《うんそうぎょうしゃ》でバイトをしていたという…波土《はど》さんのマネージャーの円城佳苗《えんじょうかなえ》さん…あなただという事《こと》になりますが…」

沖矢《おきや》に名指《なざ》しされ、円城《えんじょう》は表情《ひょうじょう》を凍《こお》りつかせた。

「し、しかし、吊《つ》り上《あ》げたはいいが、どうやってロープを客席《きゃくせき》に結《むす》んだんだね？」

目暮警部《めぐれけいぶ》の疑問《ぎもん》に、「それは簡単《かんたん》ですよ！」と安室《あむろ》が答《こた》える。

「吊《つ》り上《あ》げた後《あと》、ロープの先《さき》を近《ちか》くの客席《きゃくせき》に縛《しば》って一旦固定《いったんこてい》し…上《うえ》から来《き》ているロープのこの辺《へん》に、針金《はりがね》をねじ込《こ》み…」

安室《あむろ》は、肘置《ひじお》きに固定《こてい》されたロープの、下《した》から十五《じゅうご》センチほどの位置《いち》を指《ゆび》さした。

「その針金《はりがね》で上《うえ》から来《き》ているロープを固定《こてい》してしまえば…後《あと》は、余分《よぶん》なロープをほどき、客席《きゃくせき》に結《むす》び直《なお》して針金《はりがね》を抜《ぬ》くだけ…。その『輸送結《ゆそうむす》び』のいい所《ところ》は、どこにも結《むす》び目《め》を作《つく》らないのでほどきやすい点《てん》なんですが…真新《まあたら》しいロープなら、それをやった跡《あと》がロープに残《のこ》ってしまう…。だから、ロープを客席《きゃくせき》に結《むす》び直《なお》した後《あと》、余《あま》ったロープを工具箱《こうぐばこ》に入《はい》っていたカッターナイフで切《き》り…そのロープを束《たば》ねて…ステージのソデに工具箱《こうぐばこ》と一緒《いっしょ》に置《お》いたんですよね？　円城《えんじょう》さん？」

安室《あむろ》がソデで見《み》つけたロープと工具箱《こうぐばこ》は、犯行時《はんこうじ》にロープについた痕跡《こんせき》をごまかすために置《お》かれていたのだ。

円城《えんじょう》は反論《はんろん》の言葉《ことば》が見《み》つからず、「………」と押《お》し黙《だま》ってしまった。

「おいおい、いくら彼女《かのじょ》が昔《むかし》、そういうバイトをやってたからって…それだけで彼女《かのじょ》を犯人《はんにん》と決《き》めつけるのは…」

布施《ふせ》が円城《えんじょう》をかばおうとすると、コナンが「足《あし》の大《おお》きさだよ！」と口《くち》を挟《はさ》んだ。

「あ、足《あし》!?」

「運送業者《うんそうぎょうしゃ》の人《ひと》ってロープを…こうやって腕《うで》にクルクル巻《ま》いて…束《たば》ねるけど…」

コナンはロープの端《はし》を握《にぎ》ると、曲《ま》げた肘《ひじ》にひっかけながら、クルクルとロープを束《たば》ねた。

「これの内側《うちがわ》って、大体束《だいたいたば》ねた人《ひと》の足《あし》の大《おお》きさぐらいなんだ！　ヒジから手首《てくび》までの長《なが》さがその人《ひと》の足《あし》の大《おお》きさだから！　現場《げんば》にあったロープも、蘭姉《らんねえ》ちゃんの足《あし》の大《おお》きさぐらいで束《たば》ねられてたからさ…だから、小柄《こがら》なマネージャーさんが束《たば》ねたロープなんじゃないかなーって思《おも》ったんだ！」

「そ、そうだとしても…それも、誰《だれ》かが彼女《かのじょ》に罪《つみ》を着《き》せる為《ため》にワザと…」

布施《ふせ》が言《い》い募《つの》ると、コナンはすっと目《め》を細《ほそ》めた。

「サークルレンズ…。マネージャーさんなら、気《き》づいてるよね？　波士《はど》さんが瞳《ひとみ》を大《おお》きくする為《ため》にサークルレンズしてたの…」

「え、ええ…」

「波士《はど》さんの免許証《めんきょしょう》の写真《しゃしん》と…今日《きょう》、雑誌記者《ざっしきしゃ》のオジさんが撮《と》った写真《しゃしん》を比《くら》べたら、ボクにもわかったよ！」

免許証《めんきょしょう》の写真《しゃしん》では近寄《ちかよ》りがたい雰囲気《ふんいき》だった波士《はど》だが、今日会場入《きょうかいじょうい》りした時《とき》の写真《しゃしん》では、少《すこ》しやわらかい雰囲気《ふんいき》に変《か》わっていた。あれは、サークルレンズをつけて、黒目《くろめ》を大《おお》きく見《み》せていたからだ。

「そして、その片方《かたほう》のレンズが…マネージャーさんの背中《せなか》に付《つ》いてるって事《こと》もね？」

コナンの言葉《ことば》に、円城《えんじょう》が「え？」と目《め》を見張《みは》る。

目暮警部《めぐれけいぶ》が近《ちか》づいて見《み》てみると確《たし》かに、円城《えんじょう》の着《き》ているジャケットの背中《せなか》には、千鳥格《ちどりごう》子《し》の柄《がら》に紛《まぎ》れてサークルレンズが貼《は》りついていた。

「彼《かれ》を吊《つ》り上《あ》げた時《とき》に…運悪《うんわる》くあなたの服《ふく》に落《お》ちたんでしょうな…。さぁ証拠《しょうこ》は十分《じゅうぶん》だ！後《あと》は署《しょ》の方《ほう》で…」

円城《えんじょう》は観念《かんねん》したのか、目暮警部《めぐれけいぶ》に連《つ》れられるがまま、大人《おとな》しく立《た》ち去《さ》ろうとした。その背中《せなか》に向《む》かって、布施《ふせ》は「おい、待《ま》ってくれ！」と声《こえ》をかけた。

「どうしてあなたが波土《はど》を!? 17年間《ねんかん》支《ささ》え続《つづ》けた彼《かれ》を、何《なん》で殺《ころ》さなきゃならなかったんだ!?」

布施《ふせ》の疑問《ぎもん》に答《こた》えたのは、安室《あむろ》だった。

「それはいくら聞《き》いても答《こた》えられませんよ…。なぜなら彼女《かのじょ》は彼《かれ》を…殺《ころ》していないんですから…」

布施《ふせ》と目暮警部《めぐれけいぶ》が、「ええっ!?」と目《め》を見開《みひら》く。波土《はど》を吊《つ》り上《あ》げたのが円城《えんじょう》であることは、たった今証明《いましょうめい》されたばかりだ。それなのに、円城《えんじょう》が波土《はど》を殺《ころ》していないとは、いったいどういうことなのだろう？

「もう片方《かたほう》のサークルレンズ、どこにあったと思《おも》います？ ステージのソデに放置《ほうち》されていた、パイプイスの座面《ざめん》の裏《うら》です…。つまり、吊《つ》られた彼《かれ》の足元《あしもと》に、そのイスは倒《たお》れていたという事《こと》…。さらに付《つ》け加《くわ》えれば、タコ糸《いと》が結《むす》び付《つ》けられた野球《やきゅう》のボール…。あれはタコ糸《いと》の、もう片方《かたほう》の先《さき》をロープの先端《せんたん》に結《むす》び…ボールを投《な》げて天井《てんじょう》のバーに、まずは、タコ糸《いと》を通《とお》し…そのタコ糸《いと》を引《ひ》っ張《ぱ》って、ロープをバーに渡《わた》す為《ため》に使《つか》った物《もの》…」

ロープを滑車《かっしゃ》の代《か》わりにするあの仕掛《しか》けを作《つく》るためには、まず、ロープを天井《てんじょう》のバーに渡《わた》さなければならない。バーはかなり高《たか》い位置《いち》にあるが、ロープの先端《せんたん》をボールに結《むす》んで投《な》げ上《あ》げれば、ひっかけられないこともないだろう。

「失礼《しつれい》ですが、円城《えんじょう》さんがあのバーを越《こ》す程《ほど》ボールを高《たか》く投《な》げられるとは思《おも》えません…。高校時代《こうこうじだい》、野球部《やきゅうぶ》で強肩《きょうけん》だった波士《はど》さんなら別《べつ》ですが…。そして、波士《はど》さんの胸《むね》のポケットに入《はい》っていた波士《はど》さん直筆《じきひつ》の『ゴメンな』の文字《もじ》…。もう、おわかりですよね？」

「ま、まさか、彼《かれ》は自分《じぶん》で…」

目暮警部《めぐれけいぶ》が目《め》を見張《みは》って言《い》うと、安室《あむろ》は「そう…」とうなずいた。

「彼《かれ》は自分《じぶん》で首《くび》を吊《つ》り…それを見《み》つけた彼女《かのじょ》が、彼《かれ》を高《たか》く吊《つ》り上《あ》げ、殺人《さつじん》に偽装《ぎそう》したというわけです…。なぜそうしたかは、わかりかねますが…不可能犯罪《ふかのうはんざい》にしたのは誰《だれ》にも罪《つみ》を着《き》せたくなかったから…。ですよね？」

理路整然《りろせいぜん》と安室《あむろ》に追《お》い詰《つ》められ、円城《えんじょう》は返《かえ》す言葉《ことば》もなくうつむいてしまう。

梶谷《かじや》は、「おい!?」と円城《えんじょう》に詰《つ》め寄《よ》った。

「何《なん》で自殺《じさつ》を隠《かく》した!? やっぱり17年前《ねんまえ》に何《なに》かあったんだろ!?」

「まさか、彼《かれ》はこの前話《まえはな》したあの事《こと》を気《き》に病《や》んで…」

布施《ふせ》が言《い》うと、目暮警部《めぐれけいぶ》は「あの事《こと》?」と聞《き》きとがめた。

「実《じつ》は17年前《ねんまえ》、彼女《かのじょ》は波土《はど》の子《こ》をおなかに宿《やど》していて…」

円城《えんじょう》が「ふ、布施《ふせ》さん!?」と驚《おどろ》いた表情《ひょうじょう》を浮《う》かべるが、布施《ふせ》は構《かま》わず話《はな》し続《つづ》けた。

「生《う》まれて来《く》る子《こ》の為《ため》だといって、デビューしたての波土《はど》は…スタジオに籠《こも》って作曲《さっきょく》し続《つづ》けていました…。連日《れんじつ》の徹夜《てつや》で死《し》んでしまうと思《おも》うぐらいに…。そんな時《とき》、『もう止《や》めさせて』と駆《か》けつけた彼女《かのじょ》が、スタジオの前《まえ》で倒《たお》れ…おなかの子《こ》は流産《りゅうざん》…。そして病院《びょういん》のベッドの上《うえ》で彼女《かのじょ》に頼《たの》まれたんです…。『この事《こと》は、波土《はど》には黙《だま》っていてくれ』とね…」

円城《えんじょう》が波土《はど》のもとへ駆《か》けつけなければ、流産《りゅうざん》することはなかったかもしれない——波土《はど》はそう考《かんが》え、がむしゃらに働《はたら》いた昔《むかし》の自分《じぶん》を責《せ》めたのだろう。

「なるほど…。その時《とき》、生《う》まれて来《く》る子供《こども》の為《ため》に作《つく》った曲《きょく》が『ASACA《アサカ》』だったから…歌詞《かし》が付《つ》けられず、17年間《ねんかん》お蔵入《くらい》りになっていて…その事情《じじょう》を知《し》った彼《かれ》は、自分《じぶん》のせいで亡《な》くなった子供《こども》の為《ため》に歌詞《かし》を書《か》き、新曲《しんきょく》として発表《はっぴょう》しようとしたが…どうしても書《か》けずに、

『ゴメンな』というメッセージを遺《のこ》して死《し》を選《えら》んだという事《こと》ですか…」

沖矢《おきや》が淡々《たんたん》と言《い》うが、目暮警部《めぐれけいぶ》は納得《なっとく》しきれないような表情《ひょうじょう》で、

「しかし、何《なん》で殺人《さつじん》に見《み》せかける必要《ひつよう》が…？」

と聞《き》いた。

「…自殺《じさつ》したとわかったら、その訳《わけ》を探《さぐ》られるでしょ？　元《もと》カノの子供《こども》のせいで彼《かれ》が自殺《じさつ》したなんて、彼《かれ》の家族《かぞく》に知《し》られたら申《もう》し訳《わけ》ないと思《おも》って…」

円城《えんじょう》は目《め》に涙《なみだ》をため、声《こえ》を震《ふる》わせながら続《つづ》けた。

「だ、だから死《し》ぬ直前《ちょくぜん》は彼《かれ》が送《おく》って来《き》た、『あばよ』っていうメールの送信履歴《そうしんりれき》が入《はい》った彼《かれ》の携帯《けいたい》を…ポケットから抜《ぬ》き取《と》って、彼《かれ》を天高《てんたか》く…」

「フン、バカな男《おとこ》だ…」

鼻《はな》を鳴《な》らす梶谷《かじや》に、円城《えんじょう》は「お願《ねが》い‼」と必死《ひっし》に頼《たの》み込《こ》んだ。

「この事《こと》は記事《きじ》にはしないで‼」

「頼《たの》まれたって書《か》かねぇよ！」

ぶっきらぼうに言《い》うと、梶谷《かじや》は円城《えんじょう》に背中《せなか》を向《む》けて続《つづ》けた。

「ロックンローラーに浪花節《なにわぶし》は…似合《にあ》わねぇからな…」


円城《えんじょう》は罪《つみ》を認《みと》め、大人《おとな》しく、高木刑事《たかぎけいじ》に連行《れんこう》されていった。

「あのマネージャーさん、どんな罪《つみ》に問《と》われるの？」

「まぁ死体損壊罪《したいそんかいざい》だが、情状酌量《じょうじょうしゃくりょう》で執行猶予《しっこうゆうよ》となるだろうな…」

園子《そのこ》の質問《しつもん》に、目暮警部《めぐれけいぶ》が答《こた》える。

すると、梓《あずさ》に変装《へんそう》したベルモットが、さりげなく布施《ふせ》の方《ほう》を見《み》ながらボヤいた。

「でも、結局《けっきょく》わからずじまいよね？　何《なん》でアサカのカが『CA《シーエー》』だったのか…」

「ああ、それなら波土《はど》に聞《き》いた事《こと》があるよ…。妊娠《にんしん》の事《こと》を、徹夜明《てつやあ》けの『朝《あさ》、カフェで』聞《き》いたから…女《おんな》の子《こ》なら『朝香《あさか》』！　アルファベットで書《か》くなら『Cafe《カフェ》』の『Ca《シーエー》』を取《と》って『ASACA《アサカ》』ってね…」

波土《はど》の新曲《しんきょく》は、十七年前《じゅうななねんまえ》に羽田浩司《はねだこうじ》が殺《ころ》された事件《じけん》とは無関係《むかんけい》だったのだ。

「そっか！　納得《なっとく》！」

ベルモットが笑顔《えがお》を浮《う》かべて言《い》うと、安室《あむろ》は「でも」と話題《わだい》を継《つ》いで、布施《ふせ》を意味深《いみしん》に見《み》つめた。

「そんな話《はなし》を聞《き》かされる程《ほど》の大親友《だいしんゆう》のあなたが…手《て》の平《ひら》を返《かえ》して、彼《かれ》の引退《いんたい》を後押《あとお》しするとは…もしかして、先程《さきほど》、麻薬《まやく》で逮捕《たいほ》された彼《かれ》のバックバンドの事《こと》を知《し》っていたのでは？」

「そ、そんな事《こと》は…」

布施《ふせ》は図星《ずぼし》をつかれたかのように、あたふたと視線《しせん》を泳《およ》がせた。安室《あむろ》の言《い》う通《とお》りなら、布施《ふせ》もそのうち警察《けいさつ》から事情《じじょう》を聴《き》かれることになるだろう。

「あら…さすが耳《みみ》が早《はや》いわね…」

「もうネットに速報《そくほう》が流《なが》れてますよ…」

さすが耳《みみ》が早《はや》い――。

ベルモットと安室《あむろ》の会話《かいわ》を聞《き》き、「さすが」という言葉《ことば》から、沖矢《おきや》はスコッチが死《し》んだ時《とき》のことを連想《れんそう》した。

（さすが…さすが…）

あの時《とき》、赤井《あかい》は屋上《おくじょう》でスコッチと対峙《たいじ》して、「さすがだな、スコッチ…」と、声《こえ》をかけた。

「俺《おれ》に投《な》げ飛《と》ばされるフリをして、俺《おれ》の拳銃《けんじゅう》を抜《ぬ》き取《と》るとは…」

赤井《あかい》はスコッチと格闘《かくとう》になり、スコッチを投《な》げ飛《と》ばした。しかし、その時《とき》に、スコッチに拳銃《けんじゅう》を奪《うば》われてしまったのだ。

スコッチに銃口《じゅうこう》を向《む》けられ、赤井《あかい》は軽《かる》く両手《りょうて》を上《あ》げながら続《つづ》けた。

「命乞《いのちご》いをするわけではないが…俺《おれ》を撃《う》つ前《まえ》に、話《はなし》を聞《き》いてみる気《き》はないか？」

「け、拳銃《けんじゅう》は…お前《まえ》を撃《う》つ為《ため》に抜《ぬ》いたんじゃない…」

ハァハァと荒《あら》い息《いき》をつきながら言《い》うと、スコッチは銃口《じゅうこう》を勢《いきお》いよく自分《じぶん》の胸《むね》にあてた。

「こうする…為《ため》だ!!」

一思《ひとおも》いに自分《じぶん》の胸《むね》を撃《う》とうとする——が、引《ひ》き金《がね》が動《うご》かない。

はっと顔《かお》を上《あ》げると、一瞬《いっしゅん》の隙《すき》を突《つ》いて距離《きょり》を詰《つ》めた赤井《あかい》が、スコッチの持《も》つ銃《じゅう》のシリンダーをつかんでいた。

「無理《むり》だ…。リボルバーのシリンダーをつかまれたら…人間《にんげん》の力《ちから》で引き金《トリガー》を引《ひ》くのは不可《ふか》能《のう》だよ…。自殺《じさつ》は諦《あきら》めろ、スコッチ…お前《まえ》はここで死《し》ぬべき男《おとこ》ではない…」

「何《なに》⁉」

「俺《おれ》はFBI《エフビーアイ》から潜入《せんにゅう》している赤井秀一《あかいしゅういち》…お前《まえ》と同《おな》じ、奴《やつ》らに噛《か》みつこうとしている犬《いぬ》だ」

スコッチに自分《じぶん》を信用《しんよう》させるため、赤井《あかい》はあえて、自分《じぶん》もスパイであることを打《う》ち明《あ》けた。

「さぁ、わかったら、拳銃《けんじゅう》を離《はな》して俺《おれ》の話《はなし》を聞《き》け…。お前《まえ》1人《り》逃《に》がすぐらい、造作《ぞうさ》もないのだから…」

「あ、ああ…」

スコッチが、拳銃《けんじゅう》を握《にぎ》る手《て》をゆるめる。

その時《とき》、カンカンカン、と誰《だれ》かが階段《かいだん》を駆《か》け上《あ》がって来《く》る足音《あしおと》が聞《き》こえてきた。組織《そしき》の連中《れんちゅう》が、スコッチを始末《しまつ》しに来《き》たのだろうか——とっさの判断《はんだん》で、スコッチは赤井《あかい》の手《て》から拳銃《けんじゅう》を取《と》り返《かえ》し、自分《じぶん》の左胸《ひだりむね》にあてて引《ひ》き金《がね》を引《ひ》いた。

ドン！

銃弾《じゅうだん》は、ポケットに入《はい》っていた携帯《けいたい》ごと、スコッチの左胸《ひだりむね》を貫《つらぬ》いた。壁《かべ》に血《ち》しぶきが飛《と》び、スコッチの体《からだ》がズッと崩《くず》れ落《お》ちる。

赤井《あかい》は、スコッチの上着《うわぎ》のポケットから、粉々《こなごな》に割《わ》れた携帯電話《けいたいでんわ》を引《ひ》き抜《ぬ》いた。

（なるほど…拳銃《けんじゅう》を奪《うば》ったのは…コレを壊《こわ》す為《ため》だったのか…。家族《かぞく》や仲間《なかま》のデータが入《はい》っていたであろう…この携帯《けいたい》を…）

安室《あむろ》が、ザッと屋上《おくじょう》に飛《と》び込《こ》んでくる。スコッチが自殺《じさつ》する引《ひ》き金《がね》になった足音《あしおと》は、安《あ》室《むろ》のものだったのだ。

スコッチの遺体《いたい》を前《まえ》に、赤井《あかい》は拳銃《けんじゅう》を握《にぎ》りしめたまま、つぶやいた。

「裏切《うらぎ》りには…制裁《せいさい》をもって答《こた》える…だったよな？」

沖矢《おきや》が、当時《とうじ》の記憶《きおく》を思《おも》い出《だ》していると、安室《あむろ》が意味深《いみしん》に声《こえ》をかけてきた。

「そのハイネック…この場《ば》でめくりたい衝動《しょうどう》に駆《か》られてますが…今《いま》は止《や》めておきましょう…」

沖矢《おきや》はいつもハイネックの服《ふく》を着《き》ている。安室《あむろ》はそのことから、沖矢《おきや》が首元《くびもと》になんらかの変声機《へんせいき》を仕込《しこ》んでいるのではないかと疑《うたが》っていた。安室《あむろ》のその推理《すいり》はあたっている。実際《じっさい》、沖矢《おきや》は、阿笠博士《あがさはかせ》の作《つく》ったチョーカー型変声機《がたへんせいき》を首《くび》に装着《そうちゃく》することで、声《こえ》を変《か》えているのだ。

「いずれ、また…」

そう言《い》うと、安室《あむろ》はくるりと踵《きびす》を返《かえ》し、立《た》ち去《さ》って行《い》く。

一緒《いっしょ》に会場《かいじょう》を出《で》て行《い》こうとする梓《あずさ》に、蘭《らん》があわてて声《こえ》をかけた。

「あの！　梓《あずさ》さん！」

梓《あずさ》の近《ちか》くまで駆《か》け寄《よ》ると、蘭《らん》は声《こえ》をひそめて聞《き》いた。

「——っていうかあなた…梓《あずさ》さんじゃないですよね？　多分《たぶん》…きっと…あの…前《まえ》にわたしの事《こと》を…エンジェルって呼《よ》んでた…」

ベルモットは、一瞬《いっしゅん》ハッとした表情《ひょうじょう》を浮《う》かべたが、すぐにいつもの余裕《よゆう》を取《と》り戻《もど》してスッと目《め》を閉《と》じた。

「言《い》ったはずよ、蘭《らん》ちゃん…。それ以上《いじょう》、こちら側《がわ》に踏《ふ》み込《こ》んではダメ…。貴方《あなた》は私《わたし》の…

宝物《たからもの》だから…」

「た…宝物《たからもの》？」

意味《いみ》がわからず、立《た》ち尽《つ》くした蘭《らん》のもとに、コナンが駆《か》け寄《よ》ってくる。

蘭《らん》とコナンを順番《じゅんばん》に見《み》つめながら、ベルモットは心《こころ》の中《なか》で、（そう…この世《よ》でたった2つのね…）と、付《つ》け加《くわ》えた。

キッドVS《ブイエス》高《たか》明《あき》 狙《ねら》われた唇《くちびる》

DETECTIVE CONAN

TŌRU AMURO SELECTION

た。

服部平次《はっとりへいじ》は、東京《とうきょう》へと向《む》かう新幹線《しんかんせん》の中《なか》で、窓《まど》に映《うつ》る景色《けしき》をながめながら、あせっていた。

考《かんが》えているのは、幼《おさな》なじみの遠山和葉《とおやまかずは》のこと。服部《はっとり》は長《なが》い間《あいだ》、和葉《かずは》に想《おも》いを寄《よ》せていながら、告白《こくはく》することができずにいた。本人《ほんにん》を前《まえ》にすると、つい意地《いじ》を張《は》ってしまうのだ。

だが、ライバルの工藤新一《くどうしんいち》が、蘭《らん》に告白《こくはく》した。先《さき》を越《こ》されたことにショックを受《う》けた服《はっ》部《とり》は、自分《じぶん》も和葉《かずは》に想《おも》いを告《つ》げようと決心《けっしん》した。

告白《こくはく》で大切《たいせつ》なのは、ロケーションだ。新一《しんいち》が蘭《らん》に告白《こくはく》した場所《ばしょ》は、『シャーロック・ホームズ』シリーズの舞台《ぶたい》であるイギリスのロンドン。おまけに新一《しんいち》と蘭《らん》は、帰国後《きこくご》に修学《しゅうがく》旅行《りょこう》で訪《おとず》れた京都《きょうと》の清水寺《きよみずでら》で、キスをしていたのだ。

(ただ単《たん》に、景色《けしき》のええトコで告《こく》るだけやったら…工藤《くどう》の奴《やつ》に負《ま》けてまう…。アイツに勝《か》つんやったら…こっちも、腹《はら》くくらなアカンなァ…。なんせアイツは…人《ひと》がぎょーさんおった清水《きよみず》の舞台《ぶたい》の上《うえ》で…チューしよったからのォ…。ホンマ、ハンパないで…)

(アカン…アカンで…)

「やっぱアレ…口《くち》と口《くち》やったんやろなァ…。そんなんするんやったら、先《さき》に言《ゆ》うとけ。ビックリするわ…」

「何《なに》にビックリすんの？」

急《きゅう》に和葉《かずは》に声《こえ》をかけられ、服部《はっとり》は「か、和葉《かずは》!?」と飛《と》び上《あ》がった。さっきまで飲《の》み物《もの》を買《か》いに行《い》っていたのに、いつのまにか戻《もど》って来《き》たらしい。

「お茶《ちゃ》、買《こ》うて来《き》たでー！」

明《あか》るく言《い》うと、和葉《かずは》は服部《はっとり》の隣《となり》に腰《こし》を下《お》ろした。

「ほんで？　何《なに》にビックリなん？」

「せ、せやから…今日《きょう》、工藤《くど》…コ、コナン君達《くんたち》と行《い》く博物館《はくぶつかん》…。急《きゅう》に怪盗《かいとう》キッドが来《く》るかもしれへんって騒《さわ》ぎになって、ビックリやなーって…」

まさか、和葉《かずは》に告白《こくはく》する段取《だんど》りについて悩《なや》んでいた、などとは言《い》えない。服部《はっとり》がごまかすと、和葉《かずは》は「ホンマやなァ！」と笑顔《えがお》をはじけさせた。

「キッドって、前《まえ》に通天閣《つうてんかく》のテッペンに立《た》ってたって噂《うわさ》になってたけど、直《じか》に見《み》てへんから…楽《たの》しみやねぇ♡」

「せ、せやな…」

「楽《たの》しみ言《ゆ》うたら…キッドが狙《ねろ》てる宝石《ほうせき》…。世界最大級《せかいさいだいきゅう》のコンクパール…妖精の唇《フェアリー・リップ》や!!

長細《ながぼそ》いピンク色《いろ》の真珠《しんじゅ》、早《は》よ見《み》たいわぁ!!」

コンクパールとは、ピンクガイという大型巻貝《おおがたまきがい》から採取《さいしゅ》される、ピンク色《いろ》の真珠《しんじゅ》のこと。

世界最大《せかいさいだい》のコンクパール「妖精の唇《フェアリー・リップ》」は、鈴木財閥《すずきざいばつ》が経営《けいえい》する博物館《はくぶつかん》で、今日《きょう》から展示《てんじ》が開始《かいし》される。服部《はっとり》と和葉《かずは》は、コナンたちと一緒《いっしょ》にその展示《てんじ》を見《み》に行《い》くため、こうして新幹線《しんかんせん》に乗《の》って東京《とうきょう》に向《む》かっているのだ。

(フェアリー・リップ…。妖精《ようせい》の唇《くちびる》…。唇《くちびる》…)

服部《はっとり》はつい、和葉《かずは》の唇《くちびる》を見《み》つめた。視線《しせん》に気《き》づいて、和葉《かずは》が両手《りょうて》で口元《くちもと》を覆《おお》い隠《かく》す。

「何《なん》やのん? さっきからアタシの口元《くちもと》、ガン見《み》して…。何《なに》か付《つ》いてんの?」

「あ、ああ、まぁ…」

「青《あお》ノリや! 今朝《けさ》タコ焼《や》き食《た》べてもうたから…蘭《らん》ちゃん達《たち》に見《み》られたら、笑《わら》われてまうわー…」

(タコ焼《や》きか…)

もしも今《いま》、和葉《かずは》とキスをしたら――と妄想《もうそう》をして、服部《はっとり》は（ソースの味《あじ》がしそうやな…）と顔《かお》を赤《あか》らめた。

毛利《もうり》探偵《たんてい》事務所《じむしょ》で待《ま》っていた蘭《らん》のもとに、和葉《かずは》から電話《でんわ》がかかってきた。

「え？　もうすぐ新横浜《しんよこはま》？　じゃあ東京駅《とうきょうえき》に迎《むか》えに行《い》くから、待《ま》っててね。和葉《かずは》ちゃん！」

楽《たの》しそうに言《い》って、蘭《らん》は電話《でんわ》を切《き》った。和葉《かずは》に会《あ》えるのがうれしくて、声《こえ》がはずんでいる。

「しかし、あの金持《かねも》ちのジイさん…またド派手《はで》にキッドにケンカをふっかけやがったな…」

毛利小五郎《もうりこごろう》が、新聞《しんぶん》を見《み》ながらボヤいた。中面《なかめん》に、鈴木財閥《すずきざいばつ》の相談役《そうだんやく》・鈴木次郎吉《すずきじろきち》が、怪盗《かいとう》キッドに挑戦状《ちょうせんじょう》を出《だ》したという記事《きじ》が掲載《けいさい》されている。見出《みだ》しには「鈴木次郎吉氏《すずきじろきちし》、怪盗《かいとう》キッドに挑戦状《ちょうせんじょう》!!」「盗《と》れるもんなら盗《と》ってみろ!!」と威勢《いせい》のいい文字《もじ》がおどり、次郎吉《じろきち》の顔写真《かおじゃしん》がデカデカと載《の》っていた。

「しかしマジでこの博物館《はくぶつかん》に行《い》くのかよ？　どーせ、スゲー警備《けいび》で問題《もんだい》の宝石《ほうせき》はろくに見《み》られねぇぞ？」

「あ、でも…『その宝石《ほうせき》は全方向《ぜんほうこう》から涼《すず》やかに見《み》て頂《いただ》ける準備《じゅんび》をしています』って書《か》いてあるよ？」

コナンが横《よこ》から新聞《しんぶん》をのぞいて言《い》う。小学一年生《しょうがくいちねんせい》のコナンがすらすらと新聞記事《しんぶんきじ》を読《よ》んだので、小五郎《こごろう》は（漢字読《かんじよ》んでやがる…）とあきれてしまった。

「何《なに》か工夫《くふう》してあるかもしれないね！」

次郎吉《じろきち》がいったいどんな警備《けいび》の方法《ほうほう》を考《かんが》えたのか、コナンは少《すこ》し楽《たの》しみにしているのだった。


一週間前《いっしゅうかんまえ》。

次郎吉《じろきち》は、警視庁《けいしちょう》の中森銀三警部《なかもりぎんぞうけいぶ》と、博物館《はくぶつかん》の警備《けいび》について打《う》ち合《あ》わせていた。

「ダメじゃ、ダメじゃ!!」

会場《かいじょう》の見取《みと》り図《ず》を前《まえ》に、次郎吉《じろきち》は荒《あ》れていた。

「こんな警備体制《けいびたいせい》では、またあの月下《げっか》の奇術師《きじゅつし》にまんまと盗《ぬす》まれて…楽々《らくらく》と逃《に》げられてしまうわい!! この際《さい》、彼奴《きゃつ》に盗《ぬす》まれるのは目《め》をつむろう! 彼奴《きゃつ》を絶対《ぜったい》に逃《に》がさない、もっといい手立《てだ》てはないのか!?」

「だーかーらー…宝石《ほうせき》の周《まわ》りの警備《けいび》の人数《にんずう》をもっと増《ふ》やせば…そもそも盗《と》られねぇって言《い》ってんだよ!!」

中森警部《なかもりけいぶ》が、うんざりして言《い》い返《かえ》した。

次郎吉《じろきち》は、宝石《ほうせき》の周囲《しゅうい》を警備《けいび》する人員《じんいん》の数《かず》を制限《せいげん》するよう警察《けいさつ》に要求《ようきゅう》している。そのせいで、万全《ばんぜん》の警備《けいび》を敷《し》くことができず、中森警部《なかもりけいぶ》は不満《ふまん》をためていた。

「これ以上増《いじょうふ》やせば、来場《らいじょう》した人達《ひとたち》が宝石《ほうせき》をゆっくり楽《たの》しめぬではないか!」

「フン! 客《きゃく》の事《こと》なんて知《し》った事《こと》か!! どーせほとんど、キッドファンだろうし…」

来場客《らいじょうきゃく》に宝石《ほうせき》をしっかり見《み》てもらいたい次郎吉《じろきち》と、キッドを捕《つか》まえることを優先《ゆうせん》したい中森警部《なかもりけいぶ》との間《あいだ》で、意見《いけん》が対立《たいりつ》してしまう。

これ以上《いじょう》の問答《もんどう》は無用《むよう》とばかり、次郎吉《じろきち》はくるりと中森警部《なかもりけいぶ》に背《せ》を向《む》け、

「とにかく、宝石《ほうせき》の公開《こうかい》まであと1週間《しゅうかん》! それまでにもっといい策《さく》を立《た》てねば…今回《こんかい》も、

あのキザな悪党《あくとう》の不敵《ふてき》な笑《え》みを見《み》せつけられる羽目《はめ》になるじゃろうのォ…」

そう言《い》い残《のこ》すと、さっさと会議室《かいぎしつ》を出《で》て行《い》ってしまった。


警視庁《けいしちょう》の廊下《ろうか》を歩《ある》きながら、次郎吉《じろきち》は怒《いか》り心頭《しんとう》に発《はっ》していた。

「わざわざ警視庁《けいしちょう》まで来《き》たというのに、とんだ無駄足《むだあし》じゃったわい！」

「しかし相談役《そうだんやく》、中森警部《なかもりけいぶ》の言《い》う事《こと》ももっともです！」

一緒《いっしょ》に来《き》ていた鈴木財閥《すずきざいばつ》の関係者《かんけいしゃ》たちが進言《しんげん》する。

「もっと宝石《ほうせき》の警備《けいび》を固《かた》めた方《ほう》がいいのでは？　たとえば、宝石《ほうせき》の展示《てんじ》ケース自体《じたい》を鋼鉄《こうてつ》の柵《さく》で囲《かこ》ってしまうとか…」

「そんな事《こと》をしてもどーせ盗《と》られてしまうわい！　さっきも言《い》ったが、守《まも》りより攻《せ》めじゃ！　何《なん》としても彼奴《きゃつ》を逃《に》がさぬ策《さく》を考《かんが》えねば…」

「内部《ないぶ》の守《まも》りを固《かた》めずに…外部《がいぶ》を攻《せ》めるのは…愚策《ぐさく》である…」

背後《はいご》で声《こえ》がして、次郎吉《じろきち》は「え？」と振《ふ》り返《かえ》った。するとそこには、口《くち》ひげを生《は》やした黒髪《くろかみ》の男《おとこ》が、背筋《せすじ》をまっすぐに伸《の》ばして立《た》っていた。

「その昔《むかし》…中国《ちゅうごく》で名《な》を馳《は》せたある軍師《ぐんし》がそう言《い》ったそうですよ？」

口《くち》ひげの男《おとこ》が、口元《くちもと》に笑《え》みを浮《う》かべて言《い》う。

内部《ないぶ》の守《まも》りを固《かた》めずに外部《がいぶ》を攻《せ》めるのは愚策《ぐさく》である——つまりこの男《おとこ》は、キッドを逃《に》がさないための策《さく》を練《ね》るよりも、いかにして宝石《ほうせき》を守《まも》るか考《かんが》えるべきだと言《い》いたいのだろう。

口《くち》ひげの男《おとこ》にただならぬ雰囲気《ふんいき》を感《かん》じ、次郎吉《じろきち》は「あんた、警察《けいさつ》の方《かた》か？」と聞《き》いた。

「ええ…警視庁《けいしちょう》ではありませんが…」

「しかし、守《まも》りを固《かた》めろと言《い》ってもどうすれば…？　展示物《てんじぶつ》を客《きゃく》に見《み》せる気《き》があるのかと、毎回批判《まいかいひはん》されておるし…」

「フム…」

口《くち》ひげの男《おとこ》は、芝居《しばい》がかった仕草《しぐさ》で考《かんが》え込《こ》んだ。

「では、こうすればいかがかな？」

無事《ぶじ》、東京《とうきょう》に到着《とうちゃく》した和葉《かずは》と服部《はっとり》は、コナン、蘭《らん》、小五郎《こごろう》と一緒《いっしょ》に、鈴木財閥《すずきざいばつ》が経営《けいえい》する博物館《はくぶつかん》へと向《む》かった。次郎吉《じろきち》が出迎《でむか》えて、妖精の唇《フェアリー・リップ》の展示場所《てんじばしょ》まで案内《あんない》してくれる。

ホールに堂々《どうどう》と展示《てんじ》された妖精の唇《フェアリー・リップ》を見《み》て、小五郎《こごろう》はあんぐりと口《くち》を開《あ》けた。

「こ、氷《こおり》!? 宝石《ほうせき》を氷《こおり》の中《なか》に入《い》れたのか!?」

妖精の唇《フェアリー・リップ》は、三《さん》メートルはありそうな、巨大《きょだい》な直方体《ちょくほうたい》の氷《こおり》の中《なか》に展示《てんじ》されていたのだ。

「なるほど…」

「これやったら、全方向《ぜんほうこう》から涼《すず》やかに見《み》れるわなァ…」

コナンと服部《はっとり》は、あきれ交《ま》じりに氷《こおり》の中《なか》の真珠《しんじゅ》をながめた。

「しかし所詮《しょせん》、氷《こおり》…。熱《ねつ》を加《くわ》えりゃ溶《と》けちまうし、ドリルを使《つか》えば穴《あな》も開《あ》くし…」

警備《けいび》についている中森警部《なかもりけいぶ》が不満《ふまん》げに言《い》うが、次郎吉《じろきち》は「その心配《しんぱい》には及《およ》ばんよ…」と楽観的《らっかんてき》だ。

「これだけの大《おお》きな氷《こおり》を溶《と》かすには、ガスバーナーを使《つか》ったとしてもかなり時間《じかん》がかかるし…宝石《ほうせき》だけを盗《と》ろうとして、ドリルで穴《あな》を開《あ》けたとしても…宝石《ほうせき》に傷《きず》を付《つ》けずに取《と》り出《だ》すのは不可能《ふかのう》じゃ！ しかも、この宝石《ほうせき》の展示《てんじ》スペースだけ硬質《こうしつ》ガラスで囲《かこ》んで…室温《しつおん》を他《ほか》の部屋《へや》より下《さ》げてある…。これなら氷《こおり》は溶《と》けにくいし…警備《けいび》はガラスの外《そと》じゃから、さほど威圧感《いあつかん》を感《かん》じる事《こと》なく…宝石《ほうせき》を観賞《かんしょう》できるという寸法《すんぽう》じゃわい！」

展示《てんじ》ホールの中《なか》には、硬質《こうしつ》ガラスの部屋《へや》がつくられ、宝石《ほうせき》の入《はい》った氷《こおり》はその中央《ちゅうおう》に置《お》かれていた。中《なか》に入《はい》るための扉《とびら》は一《ひと》つしかなく、部屋《へや》の周囲《しゅうい》は警備《けいび》がぐるりと取《と》り囲《かこ》んでいる。

「けどジイさん！　うまい事考《ことかんが》えたのォ！」

服部《はっとり》にほめられ、次郎吉《じろきち》は「儂《わし》の知恵《ちえ》ではないわ！」と、後《うし》ろを振《ふ》り返《かえ》った。そこには、次郎吉《じろきち》に助言《じょげん》をした、あの口《くち》ひげの男《おとこ》が立《た》っている。

「今日《きょう》もわざわざ助《すけ》っ人《と》に来《き》て頂《いただ》いた…長野県警捜査一課《ながのけんけいそうさいっか》…諸伏高明警部《もろふしたかあきけいぶ》の考《かんが》えた良計《りょうけい》じゃよ！」

「私《わたし》は、氷《こおり》を使《つか》えば来場《らいじょう》した方々《かたがた》も爽涼《そうりょう》な気分《きぶん》が味《あじ》わえると申《もう》したまで…。まあ、思《おも》い立《た》ったのなら、早《はや》く行動《こうどう》に移《うつ》した方《ほう》が賢明《けんめい》だと助言《じょげん》しましたが…。『兵《へい》は神速《しんそく》を尊《たっと》ぶ』とね…」

諸伏警部《もろふしけいぶ》が小難《こむずか》しいことを言《い》うので、小五郎《こごろう》は意味《いみ》がわからず「シンソク？」と首《くび》をひねった。

「三国志《さんごくし》の武将《ぶしょう》の名言《めいげん》よ！」

蘭《らん》は小五郎《こごろう》にそう教《おし》えると、「諸伏警部《もろふしけいぶ》！　どうしてここへ？」と諸伏警部《もろふしけいぶ》の方《ほう》へと向《む》き直《なお》った。蘭《らん》とコナンは、諸伏警部《もろふしけいぶ》とすでに面識《めんしき》があるのだ。

「本当《ほんとう》は先週《せんしゅう》…ある物《もの》を確認《かくにん》する為《ため》に、ここへ来《き》たんですが…担当《たんとう》の刑事《けいじ》さんが事件《じけん》の捜《そう》査《さ》に出払《ではら》っていて会《あ》えず…今回《こんかい》、再《ふたた》び来《き》たというわけです…」

（先週《せんしゅう》は、女性警察官連続殺人事件《じょせいけいさつかんれんぞくさつじんじけん》があったしなァ…）と、コナンは心《こころ》の中《なか》でつぶやいた。警視庁交通部《けいしちょうこうつうぶ》の女性警察官《じょせいけいさつかん》が次々《つぎつぎ》と狙《ねら》われる事件《じけん》が起《お》きたせいで、刑事《けいじ》たちは大忙《おおいそが》しだったのだ。

「ある物《もの》って？」

蘭《らん》に聞《き》かれ、諸伏警部《もろふしけいぶ》は「私宛《わたしあて》の封筒《ふうとう》です…」と答《こた》えた。

「正確《せいかく》には、私宛《わたしあて》らしき封筒《ふうとう》ですが…。字《じ》がにじんでいて読《よ》み辛《づら》く、差《さ》し出《だ》し人《にん》も不明《ふめい》らしいので…。まあ、再《ふたた》び上京《じょうきょう》するのをこの日《ひ》にしたのは…鈴木次郎吉相談役《すずきじろきちそうだんやく》に呼《よ》ばれたからでもありますが…」

諸伏警部《もろふしけいぶ》と親《した》しく話《はな》す蘭《らん》を見《み》て、和葉《かずは》は、

「蘭《らん》ちゃん、あの刑事《けいじ》さんと知《し》り合《あ》いなん？」

と、不思議《ふしぎ》そうに聞《き》いた。

「うん！　長野《ながの》で事件《じけん》にあった時《とき》に…ホラ、和葉《かずは》ちゃんも会《あ》った事《こと》ある、大和敢助警部《やまとかんすけけいぶ》や上原由衣刑事《うえはらゆいけいじ》と幼馴染《おさななじみ》らしいよ！」

大和警部《やまとけいぶ》と上原刑事《うえはらけいじ》は、共《とも》に長野県警《ながのけんけい》の警察官《けいさつかん》だ。彼《かれ》らと諸伏警部《もろふしけいぶ》が幼《おさな》なじみだと知《し》り、和葉《かずは》は「ホンマに？」と驚《おどろ》いた。

「なんか大和警部《やまとけいぶ》に高明《コウメイ》って呼《よ》ばれてて、ホントに『諸葛亮孔明《しょかつりょうこうめい》』みたいに頭《あたま》キレっキレなんだから！」

「へー…」


硬質《こうしつ》ガラスの部屋《へや》を取《と》り囲《かこ》む警備《けいび》たちの中《なか》に、ひときわ若《わか》い男《おとこ》がいた。

怪盗《かいとう》キッドだ。妖精の唇《フェアリー・リップ》のことを知《し》り、警備《けいび》に紛《まぎ》れてこっそりと会場《かいじょう》の下見《したみ》に来《き》ていたのだが、思《おも》いがけず、服部《はっとり》やコナン、そして諸伏警部《もろふしけいぶ》に出《で》くわして、あせっていた。

（高校生探偵《こうこうせいたんてい》2人《り》に…長野《ながの》の軍師《ぐんし》みてぇな刑事《けいじ》だと？　さすがに今夜盗《こんやぬす》むのは止《や》めとくか…。日《ひ》がたてば、あの氷《こおり》も徐々《じょじょ》に小《ちい》さくなるだろうしな…）

諸伏警部《もろふしけいぶ》は、氷《こおり》に閉《と》じ込《こ》められた妖精の唇《フェアリー・リップ》をまじまじとながめた。ピンク色《いろ》の真珠《しんじゅ》、コンクパールは氷《こおり》の中《なか》でも色《いろ》あせることなく輝《かがや》いている。表面《ひょうめん》には、美《うつく》しい曲線模様《きょくせんもよう》が浮《う》き出《で》ていて、まるで真珠《しんじゅ》の中《なか》で炎《ほのお》が揺《ゆ》らめいているように見《み》えた。

「それにしても見事《みごと》なコンクパールですね…。色《いろ》や大《おお》きさや形《かたち》も然《さ》る事《こと》ながら…この表面《ひょうめん》に出《で》た模様《もよう》は絶品《ぜっぴん》！　まさに『妖精の唇《フェアリー・リップ》』の名《な》に相応《ふさわ》しい…」

すると、オールバックの男《おとこ》が部屋《へや》の中《なか》に入《はい》って来《き》て、

「さすが相談役《そうだんやく》がわざわざ招喚《しょうかん》された刑事《けいじ》さんだ…。なかなかお目《め》が高《たか》い！」

と、諸伏警部《もろふしけいぶ》に声《こえ》をかけた。四十五歳《よんじゅうごさい》の宝石《ほうせき》ブローカー、鳥越苗路《とりごえなえじ》だ。

「そのコンクパールは、三重県《みえけん》の英虞湾《あごわん》に眠《ねむ》っていた…巨大《きょだい》なアコヤ貝《がい》の中《なか》にあった真珠《しんじゅ》で…その真珠独特《しんじゅどくとく》のオリエント効果《こうか》の輝《かがや》きに魅《み》せられて、大枚《たいまい》をはたいて買《か》い付《つ》けた唯一《ゆいいつ》

無二《むに》の一品《いっぴん》！　今回《こんかい》キッド捕獲作戦《ほかくさくせん》に一役買《ひとやくか》うという事《こと》でとても光栄《こうえい》に思《おも》います！　その代《か》わり、盗《ぬす》まれた場合《ばあい》はちゃんと補償《ほしょう》してくださいね…」

鳥越《とりごえ》がぺらぺらとまくしたてると、次郎吉《じろきち》は「ああ…」とうなずいた。

どうやら、キッドに妖精の唇《フェアリー・リップ》を盗《ぬす》まれてしまった場合《ばあい》、次郎吉《じろきち》が弁償《べんしょう》する約束《やくそく》になっているようだ。

「なんたってこの宝石《ほうせき》は、オークションでもう高額《こうがく》の買《か》い手《て》がついている…私《わたし》の財産《ざいさん》なんですから…」

なおも自慢《じまん》げに話《はな》し続《つづ》ける鳥越《とりごえ》に、「ウソよ！！！」と、女性《じょせい》の声《こえ》が割《わ》り込《こ》んだ。

見《み》ると、若《わか》い女性《じょせい》が、部屋《へや》の中《なか》に入《はい》ろうとして警備《けいび》に止《と》められている。会社員《かいしゃいん》で二十一《にじゅういっ》歳《さい》の山本萌奈《やまもともえな》だ。

「それは、私《わたし》の祖父《そふ》が海外旅行中《かいがいりょこうちゅう》にカリブの大富豪《だいふごう》からもらった…大切《たいせつ》な贈《おく》り物《もの》よ!!　あんたがその宝石《ほうせき》の価値《かち》を調《しら》べてくれるっていうから預《あず》けたのに…返《かえ》してくれないじゃない!!」

「ああ…私《わたし》の真珠《しんじゅ》とよく似《に》ていたので、調《しら》べさせてもらいましたが…。私《わたし》の記憶《きおく》ではもうお返《かえ》ししたかと…」

「ええ！　返《かえ》してもらったわよ!!　模造品《もぞうひん》のコンクパールを指輪《ゆびわ》に付《つ》け替《か》えられてね!!」

「おいおい、どういう事《こと》だね？」

次郎吉《じろきち》に聞《き》かれ、鳥越《とりごえ》は大《おお》げさに眉《まゆ》をひそめて苦笑《にがわら》いを浮《う》かべた。

「たまにいるんですよ…ああいう、わけのわからない客《きゃく》が…」

「とにかく、今《いま》すぐ返《かえ》して！　あのコンクパールは、祖父《そふ》が祖母《そぼ》に贈《おく》ったマリッジリングの宝石《ほうせき》でもあるんだから…。先日《せんじつ》亡《な》くなった祖母《そぼ》の棺《ひつぎ》に入《い》れて…天国《てんごく》に持《も》ってってもらいたいんだからね!!」

必死《ひっし》に叫《さけ》ぶと、山本《やまもと》は「ちょっと離《はな》しなさいよ！」と、自分《じぶん》を追《お》い出《だ》そうとする警備《けいび》の男《おとこ》たちに食《く》ってかかった。

「祖母《そぼ》の葬儀《そうぎ》は明日《あした》！　もう時間《じかん》がないんだから!!　離《はな》せぇ〜〜〜っ!!」


キッドは、警備《けいび》になりすましたまま、鳥越《とりごえ》と山本《やまもと》のやり取《と》りを聞《き》いていた。

（なるほど…。そういう事《こと》なら…）

警備《けいび》たちに連《つ》れて行《い》かれる山本《やまもと》の後《うし》ろ姿《すがた》を見送《みおく》りながら、キッドは唇《くちびる》の端《はし》を上《あ》げた。

部屋《へや》の中《なか》では、次郎吉《じろきち》と中森警部《なかもりけいぶ》が話《はな》し込《こ》んでいる。

「それで？　キッドの予告状《よこくじょう》はまだ来《き》ておらんのか？」

「ああ…。まだ何《なん》の音沙汰《おとさた》もねぇよ…」

キッドは、小《ちい》さな玉《たま》をピンと床《ゆか》の上《うえ》に弾《はじ》き飛《と》ばすと、コンコンと部屋《へや》の壁《かべ》をノックした。

「中森警部《なかもりけいぶ》！」

「ん？　どうした？」

「あの辺《へん》に…妙《みょう》な玉《たま》が…」

キッドは声色《こわいろ》を変《か》えて、床《ゆか》の上《うえ》を指《ゆび》さした。そこには、さっきキッドが自分《じぶん》で飛《と》ばした小《ちい》さな玉《たま》が転《ころ》がっている。

「こ、これは…BB弾《ビービーだん》!?」

中森警部《なかもりけいぶ》は、BB弾《ビービーだん》を拾《ひろ》い上《あ》げると、（しかし何《なん》でこんな所《ところ》に…）と首《くび》をひねった。その後《うし》ろ姿《すがた》を見《み》て、諸伏警部《もろふしけいぶ》が「ん？」と何《なに》かに気《き》づく。

「中森警部《なかもりけいぶ》…。靴《くつ》の裏《うら》に…カードが…」

いつのまにか、中森警部《なかもりけいぶ》の靴《くつ》のかかとに、白《しろ》いカードが貼《は》りついていた。

「こ、これは…まさか!?」

ペリッとカードを剥《は》がすと、そこにはキッドからのメッセージが書《か》かれている。

「今夜零時《こんやれいじ》…。妖精《ようせい》の唇《くちびる》を頂《いただ》きに参上《さんじょう》する…。怪盗《かいとう》キッド…」

予告状《よこくじょう》の文章《ぶんしょう》を読《よ》み上《あ》げ、中森警部《なかもりけいぶ》は表情《ひょうじょう》を引《ひ》き締《し》めた。

「やっぱり来《く》るか!! 怪盗《かいとう》キッド!!」


(妖精《ようせい》の唇《くちびる》を頂《いただ》きに参上《さんじょう》する…)

予告状《よこくじょう》に書《か》かれていた一文《いちぶん》に、服部《はっとり》はひそかにドキドキしていた。唇《くちびる》を頂《いただ》く、という言《い》い回《まわ》しから思《おも》い浮《う》かぶのは、やはり和葉《かずは》のことだ。

(唇《くちびる》を…頂《いただ》きに…)

和葉《かずは》の唇《くちびる》を見《み》つめ、服部《はっとり》は一人《ひとり》、顔《かお》を赤《あか》らめた。

「あ――!!　また、アタシの口元《くちもと》、ガン見《み》してる――!!」

和葉《かずは》は、服部《はっとり》の視線《しせん》に気《き》づくと、恥《は》ずかしそうに口元《くちもと》を手《て》で隠《かく》した。

「あ、ちゃ、ちゃうねん…」

「やっぱり青《あお》ノリ付《つ》いてるんや！　蘭《らん》ちゃん、見《み》て！」

和葉《かずは》に頼《たの》まれ、蘭《らん》は和葉《かずは》の口元《くちもと》をのぞき込《こ》んだ。

「何《なに》も付《つ》いてないけど…」

青《あお》ノリも付《つ》いてないのに、服部《はっとり》はどうして唇《くちびる》をじろじろ見《み》るのだろう――和葉《かずは》はブスッとして、「何《なん》やのん、一体《いったい》…？」と服部《はっとり》をにらんだ。

「平次《へいじ》…京都《きょうと》から帰《かえ》って来《き》てから、何《なん》か様子《ようす》がおかしいねん…」

和葉《かずは》がボヤくのを聞《き》いて、蘭《らん》は（京都《きょうと》…）とピンときた。

（そういえばあの清水《きよみず》の舞台《ぶたい》の時《とき》…服部君《はっとりくん》もいたから…もしもアレを見《み》てたとしたら…）

服部《はっとり》は、新一《しんいち》と蘭《らん》がキスをしたことに触発《しょくはつ》されて、自分《じぶん》も和葉《かずは》にキスをするつもりなのかもしれない。蘭《らん》は楽《たの》しそうに和葉《かずは》に耳打《みみう》ちした。

「もしかしたら今度《こんど》こそ、正真正銘《しょうしんしょうめい》ガチで…ラヴの予感《よかん》かもよ？」

しかし、これまで何度《なんど》もラヴの予感《よかん》があったものの、服部《はっとり》と和葉《かずは》に進展《しんてん》があったことは一度《いちど》もない。

「蘭《らん》ちゃん、ソレもーええよ！　気持《きも》ちだけもらっとくわ…」

照《て》れ笑《わら》いを浮《う》かべる和葉《かずは》に、蘭《らん》は「えーっ」と声《こえ》を上《あ》げた。

「今度《こんど》はホントにホントなのに――…」


中森警部《なかもりけいぶ》は、靴《くつ》の裏《うら》に貼《は》りついていた予告状《よこくじょう》を手《て》に、いまいましげな表情《ひょうじょう》を浮《う》かべていた。

「しかしキッドの奴《やつ》…ワシの靴《くつ》の裏《うら》にいつこんなカードを貼《は》り付《つ》けやがったんだ？」

「ここへ来《く》る前《まえ》からなんじゃないか？　今夜《こんや》来《く》るのはとっくに決《き》めてただろーしな…」

小五郎《こごろう》の推理《すいり》を、諸伏警部《もろふしけいぶ》が「いや…」と否定《ひてい》した。

「決行《けっこう》するのを今夜《こんや》と決《き》めたのは、つい今《いま》し方《がた》のようですよ？」

「何《なに》!?」

「ホラ、ここに落《お》ちていたカードには…『明日《みょうにち》、20時参上《じさんじょう》』と書《か》かれています！」

諸伏警部《もろふしけいぶ》は床《ゆか》に落《お》ちていたカードを拾《ひろ》い上《あ》げて、中森警部《なかもりけいぶ》に見《み》せた。

「こっちのカードには『明後日来る《あさってくる》』って書《か》いてあんで！」

「『今回《こんかい》はパス』ってカードもあるよ？」

服部《はっとり》とコナンも、床《ゆか》に置《お》かれたカードを次々《つぎつぎ》と発見《はっけん》する。

「ど、どういう事《こと》じゃ⁉」

不思議《ふしぎ》がる次郎吉《じろきち》に、諸伏警部《もろふしけいぶ》は淡々《たんたん》と説明《せつめい》した。

「あらかじめ、色々《いろいろ》なパターンのカードを床《ゆか》に仕込《しこ》んでおき…これと決《き》めたカードの上《うえ》を中森警部《なかもりけいぶ》に歩《ある》かせて踏《ふ》ませ、予告状《よこくじょう》を示《しめ》す事《こと》によって…たった今《いま》、にわかに決行《けっこう》を決《き》めたにもかかわらず…まるで手《て》の内《うち》に熟考《じゅっこう》した計画《けいかく》があるかのように、思《おも》わせたかったたんでしょう…」

キッドがBB弾《ビービーだん》をはじいたのは、目当《めあ》てのカードを中森警部《なかもりけいぶ》に踏《ふ》ませるためだったのだ。

「もちろん、これらの余分《よぶん》なカードは、後《あと》でこっそり回収《かいしゅう》するつもりだったんでしょうけど…」

「なるほど…。つまり…さっきワシに、妙《みょう》な玉《たま》が転《ころ》がってると言《い》ってた機動隊員《きどうたいいん》が…キッド…」

中森警部《なかもりけいぶ》は、額《ひたい》に青筋《あおすじ》を浮《う》かべると、近《ちか》くにいた警備《けいび》の男《おとこ》の胸《むな》ぐらをつかんだ。

「さっきの隊員《たいいん》はどいつだ⁉　お前《まえ》かー⁉」

「い、いいえ、もう逃《に》げてしまったのでは？」

激昂《げっこう》する中森警部《なかもりけいぶ》の様子《ようす》を見《み》ながら、キッドは（やっべ——！）とあわてた。

（あの、軍師《ぐんし》みてーな刑事《けいじ》にバレバレじゃねーか…。でもまぁ、確《たし》かにさっき、とっさに思《おも》いついた計画《けいかく》だけど…。天井《てんじょう》の細工《さいく》は仕掛《しか》け済《ず》みだし…試《ため》す価値《かち》はありそうだ…）

そう考《かんが》え、キッドはニヤリと不敵《ふてき》に笑《わら》った。

（あとは、いつものあの眼鏡《めがね》の探偵《たんてい》ボウズと…大阪《おおさか》の高校生探偵《こうこうせいたんてい》？　をどうするか…）

服部《はっとり》は床《ゆか》の上《うえ》にしゃがみ込《こ》み、コナンと話《はな》し込《こ》んでいる。

と、そこへ和葉《かずは》が寄《よ》って来《き》て、「平次《へいじ》、どないする？」と声《こえ》をかけた。

「今晩《こんばん》は蘭《らん》ちゃんトコに泊《と》まるつもりやったけど…」

「そら、せっかくやから…夜中《よなか》までここにおって、キッド捕《つか》まえるのに協力《きょうりょく》せなアカンやろ…」

「ほんならアタシもおって、加勢《かせい》したるわ！」

あっさりと言《い》う和葉《かずは》に、服部《はっとり》は「ア、アホ！」とあわてた。

「相手《あいて》は怪盗《かいとう》やぞ？　危《あぶ》ないから帰《かえ》れ!!」

と、ビシッと言《い》い聞《き》かせたものの「ま、まあどーしてもっちゅうんならしゃーないけど…」とすぐに思《おも》い直《なお》してしまう。

「ホンマ？」

うれしそうな和葉《かずは》の表情《ひょうじょう》に、服部《はっとり》はますますデレデレしてしまう。

服部《はっとり》の態度《たいど》があまりにもわかりやすいので、キッドはすぐに、服部《はっとり》が和葉《かずは》を好《す》きだということを察《さっ》した。

(なるほど…こいつは使《つか》えそうだ…)

服部《はっとり》と和葉《かずは》のやり取《と》りを観察《かんさつ》しながら、キッドは小《ちい》さく微笑《びしょう》した。

中森警部《なかもりけいぶ》は、BB弾《ビービーだん》を飛《と》ばした警備《けいび》の男《おとこ》を探《さが》し出《だ》すのをあきらめて、部屋《へや》の中《なか》に戻《もど》った。

「しかし…本当《ほんとう》にこんな氷《こおり》だけで大丈夫《だいじょうぶ》なのか？　ただの水《みず》の塊《かたまり》だからなぁ…」

妖精の唇《フェアリー・リップ》の入《はい》った氷《こおり》をながめながらボヤいていると、鳥越《とりごえ》が隣《となり》に来《き》た。

「ええ…私《わたし》もそう思《おも》い…指輪《ゆびわ》のリング部分《ぶぶん》を…センサー内蔵《ないぞう》の物《もの》と取《と》り替《か》えさせてもらいました…。…なので、指輪《ゆびわ》を持《も》ってあの出入《でい》り口《ぐち》を通過《つうか》すれば…警報音《けいほうおん》が鳴《な》り響《ひび》く算段《さんだん》です…」

そう言《い》って、鳥越《とりごえ》は得意《とくい》げに部屋《へや》の出入《でい》り口《ぐち》を指《ゆび》さした。

それでもまだ不満《ふまん》そうな中森警部《なかもりけいぶ》に、次郎吉《じろきち》が畳《たた》みかける。

「しかも、その扉《とびら》の横《よこ》には非常《ひじょう》ボタンがあり、押《お》せばロックが掛《か》かり10分間《ぷんかん》は封鎖《ふうさ》される…つまり、予告時間《よこくじかん》の1分前《ぷんまえ》にボタンを押《お》しておけば…怪盗《かいとう》キッドの犯行予告《はんこうよこく》は、史上初《しじょうはじ》めて失敗《しっぱい》に終《お》わるという寸法《すんぽう》じゃわい!!　そしてそして、儂《わし》が彼奴《きゃつ》の犯行《はんこう》を阻止《そし》した記事《きじ》が新聞《しんぶん》にババーンと掲載《けいさい》され…今度《こんど》こそ一面《いちめん》トップに返《かえ》り咲《ざ》いてくれようぞ!!」

テンション高《たか》くまくしたてると、次郎吉《じろきち》は「アッアッアッアッアァ!!」と高《たか》らかに笑《わら》い声《ごえ》を上《あ》げた。次郎吉《じろきち》は、キッドから宝石《ほうせき》を守《まも》り抜《ぬ》いて、新聞《しんぶん》の一面《いちめん》トップに掲載《けいさい》されたいのだ。

（あんたなら、新聞社《しんぶんしゃ》を丸《まる》ごと買《か》っちまった方《ほう》が早《はや》いんじゃねーか？）

と、小五郎《こごろう》は心《こころ》の中《なか》でツッコミを入《い》れた。

鳥越《とりごえ》と次郎吉《じろきち》の作戦《さくせん》を聞《き》いた中森警部《なかもりけいぶ》は、「くそっ…」と奥歯《おくば》を噛《か》みしめた。

「キッドを捕《つか》まえるんじゃなく、来《こ》させねぇ作戦《さくせん》とは…やる気《き》が出《で》ねぇなぁ…」

長年《ながねん》キッドを追《お》っている中森警部《なかもりけいぶ》は、もっと積極的《せっきょくてき》にキッドを捕《つか》まえる作戦《さくせん》を採用《さいよう》してほしかったようだ。捜査《そうさ》に乗《の》り気《き》でない様子《ようす》の中森警部《なかもりけいぶ》を、諸伏警部《もろふしけいぶ》がなだめる。

「将帥勇《しょうすいゆう》ならざるは…将《しょう》なきに同《おな》じ…。軍《ぐん》の将《しょう》が勇猛果敢《ゆうもうかかん》でなければ、将《しょう》がいないのと同《おな》じですよ？」

「そ、そんな事《こと》はわかってるよ!!」

やきもきする中森警部《なかもりけいぶ》をよそに、警備《けいび》に紛《まぎ》れたキッドは、「すみませーん！　ちょっとトイレに…」と声《こえ》を上《あ》げ、現場《げんば》を離《はな》れて行《い》った。

妖精の唇《フェアリー・リップ》を盗《ぬす》むため、怪盗《かいとう》キッドは、いよいよ大《おお》きく動《うご》き出《だ》そうとしていた。

キッドの予告時間《よこくじかん》まで、コナンたちは博物館《はくぶつかん》の中《なか》で待機《たいき》することになった。

「蘭《らん》ちゃん見《み》て見《み》て！　何《なん》かアレ、オモロいで！」

「ホントだ、おっかしー！」

蘭《らん》と和葉《かずは》は、館内《かんない》に展示《てんじ》された土偶《どぐう》のような像《ぞう》を見《み》ながら、のんきにはしゃいでいる。

「なあ工藤《くどう》…そないに手強《てごわ》いんか？　怪盗《かいとう》キッド…」

服部《はっとり》に聞《き》かれ、コナンは「ああ…」と疲《つか》れた表情《ひょうじょう》でうなずいた。

「ズル賢《がしこ》くて…一筋縄《ひとすじなわ》じゃいかねぇんだよ！」

コナンはこれまで何度《なんど》も、キッドを追《お》い詰《つ》めてきた。しかし、いつも惜《お》しいところで逃《に》げられてしまうのだ。

（ほんなら、その泥棒《どろぼう》をオレが捕《つか》まえたら…）

服部《はっとり》は、自分《じぶん》がキッドを捕《つか》まえた時《とき》のことを想像《そうぞう》した。

——さすが平次《へいじ》！　工藤君《くどうくん》より上《うえ》やな！

和葉《かずは》はきっと、そう言《い》ってほめてくれるに違《ちが》いない。そうしたら、服部《はっとり》は和葉《かずは》の後《うし》ろの壁《かべ》にドンと手《て》をついて、

――当《あ》たり前《まえ》や！　もっと上《うえ》なトコ…見《み》せたってもかめへんで…。

などと言《い》いながら、和葉《かずは》と向《む》かい合《あ》うのだ。

――平次《へいじ》…。

顔《かお》を赤《あか》らめ、自分《じぶん》を見《み》つめる和葉《かずは》の顔《かお》を想像《そうぞう》して、服部《はっとり》は鼻《はな》の下《した》を伸《の》ばした。

（コレやで！）

ポンと手《て》のひらを拳《こぶし》で叩《たた》き、ウキウキと浮《う》かれる服部《はっとり》を、コナンが「？」と不思議《ふしぎ》そうにながめる。

そんな服部《はっとり》の妄想《もうそう》など知《し》る由《よし》もなく、和葉《かずは》は館内《かんない》の展示《てんじ》に夢中《むちゅう》になっていた。

「なぁ！　平次《へいじ》も見《み》てみ…」

と、服部《はっとり》に声《こえ》をかけようと振《ふ》り返《かえ》った瞬間《しゅんかん》――。

バシャッ。

館内《かんない》にいた外国人《がいこくじん》らしき女性《じょせい》がぶつかって来《き》て、持《も》っていたコーラをかけられてしまっ

た。

「Oh《オー》～!!　Sorry《ソーリー》！　ごーめんなサーイ！」

女性《じょせい》が片言《かたこと》の日本語《にほんご》で謝《あやま》る。

「コーラで服《ふく》、ベトベトや！」

「ここって飲《の》み物《もの》、持《も》ち込《こ》み禁止《きんし》ですよ？」

蘭《らん》があわてて言《い》うが、女性《じょせい》は「ワタシ、日本語《にほんご》読《よ》めまセーン!!」と悪《わる》びれない。

コナンは、蘭《らん》と女性《じょせい》のやり取《と》りを聞《き》きながら、（英語《えいご》でも書《か》いてあったと思《おも》うけど…）と心《こころ》の中《なか》で突《つ》っ込《こ》んだ。

和葉《かずは》の服《ふく》は、胸《むね》のあたりがコーラでぐっしょりと濡《ぬ》れてしまった。それを見《み》た女性《じょせい》は、持《も》っていた紙袋《かみぶくろ》を和葉《かずは》に差《さ》し出《だ》した。

「コレ、さっき買《か》った服《ふく》、おわびにプレゼントしマース！」

「えーよ、えーよ…」

和葉《かずは》は遠慮《えんりょ》して手《て》を振《ふ》るが、蘭《らん》が紙袋《かみぶくろ》の中身《なかみ》を見《み》ると、入《はい》っていたのは千鳥格子柄《ちどりごうしがら》のかわいらしいワンピースだ。

「あ、コレって今年《ことし》、流行《はや》るって雑誌《ざっし》に載《の》ってたブランドのワンピだ！」

「ホンマ？」

女性《じょせい》は、「それじゃ、ごめんなサーイでしたネー！」と謝《あやま》ると、二人《ふたり》に背《せ》を向《む》けた。

「あ、ちょっ、待《ま》ってーな！」

和葉《かずは》が引《ひ》き留《と》めようとするが、女性《じょせい》はタタ…と去《さ》って行《い》ってしまう。

「せっかくだから、お言葉《ことば》に甘《あま》えちゃえば？」

蘭《らん》に言《い》われ、和葉《かずは》は「せ、せやね！」と、うれしそうにうなずいた。

「ほんなら、トイレで着替《きが》えてくるわ！」


女性《じょせい》にもらったワンピースは、和葉《かずは》にぴったりのサイズだった。

「ババーン♬　どや！」

トイレで着替《きが》えて戻《もど》って来《き》た和葉《かずは》を見《み》て、蘭《らん》は「かわいー♡」と声《こえ》をはずませた。

「すっごく似合《にあ》ってるよ！」

服部《はっとり》も、思《おも》わず頬《ほお》を赤《あか》くして、和葉《かずは》に見《み》とれてしまう。

「どォ？　平次《へいじ》…ウチにホレ直《なお》したんちゃう？」

「あ、ああ…まあ…」

ついつい素直《すなお》にうなずいてしまい、服部《はっとり》は照《て》れ隠《かく》しに「──ってア、アホか⁉」とあわてて怒鳴《どな》った。

「元々《もともと》ホレてへんわ、ボケ‼」

実《じつ》は、ワンピースを着《き》て戻《もど》って来《き》た和葉《かずは》は、怪盗《かいとう》キッドの変装《へんそう》だった。

キッドはまず外国人女性《がいこくじんじょせい》に変装《へんそう》して、わざと和葉《かずは》に飲《の》み物《もの》をかけた。そして、ワンピースを渡《わた》して服《ふく》を着替《きが》えるよう仕向《しむ》け、トイレに来《き》た和葉《かずは》をこっそり眠《ねむ》らせて、すりかわったのだ。

そうとも知《し》らずデレデレする服部《はっとり》の様子《ようす》を見《み》て、キッドは（ちょれーな…）とほくそ笑《え》んだ。

（トイレで眠《ねむ》らせたあの娘《こ》には悪《わる》いけど…今回《こんかい》はコレで行《い》かせてもらうぜ…）

夜《よる》になり、予告時間《よこくじかん》の深夜零時《しんやれいじ》が近《ちか》づく。コナンたちは、妖精の唇《フェアリー・リップ》のある部屋《へや》のそばでキッドが来《く》るのを待《ま》っていた。和葉《かずは》に変装《へんそう》したキッドも一緒《いっしょ》だ。

「なあ平次《へいじ》？　ウチのスマホ知《し》らん？　さっきから見当《みあ》たらへんねん…」

キッドがカバンの中《なか》を探《さが》しながら言《い》うと、服部《はっとり》は自分《じぶん》のスマホを取《と》り出《だ》した。

「ほんなら、鳴《な》らしてみよか？」

和葉《かずは》のスマホに電話《でんわ》をかける。すると、ピリリ、ピリリ、と、部屋《へや》の中《なか》から呼《よ》び出《だ》し音《おん》が聞《き》こえてきた。

「あ！　氷《こおり》の部屋《へや》ん中《なか》や！　指輪《ゆびわ》の写真写《しゃしんうつ》して、そのまんま置《お》き忘《わす》れてしもたんやわ！」

「ホンマか？　けどもうキッドの予告《よこく》の時間《じかん》や…一段落《いちだんらく》するまで待《ま》っとけや…」

キッドは「えーーっ！」と服部《はっとり》の腕《うで》をつかんだ。

「スマホなかったら、キッドが来《き》ても写真撮《しゃしんと》られへんやん!!　お願《ねが》いや、平次《へいじ》！　警部《けいぶ》さんに頼《たの》んで、取《と》りに行《い》かせてもろてーや！」

「無茶言《むちゃい》うなや…」

「アカンのォ〜？」

じっと見《み》つめられ、服部《はっとり》は、「しゃ…しゃーないなァ…」とあっさり折《お》れた。キッドの変装《へんそう》には、まったく気《き》がついていないようだ。

部屋《へや》の周《まわ》りは警備員《けいびいん》に取《と》り囲《かこ》まれていて、許可《きょか》がなければ入《はい》ることができない。服部《はっとり》とキッドは中森警部《なかもりけいぶ》のもとへ行《い》き、部屋《へや》の中《なか》に入《はい》らせてほしいと頼《たの》んだ。

「何《なに》？　スマホを取《と》りに行《い》かせてくれ？」

「せや、まだ予告《よこく》の時間《じかん》まで10分《ぷん》もあるし…チャッチャと取《と》って来《く》るさかい…」

服部《はっとり》がすぐに戻《もど》って来《く》ることを約束《やくそく》すると、中森警部《なかもりけいぶ》はしぶしぶ、中《なか》に入《はい》ることを了承《りょうしょう》してくれた。

「早《はや》く済《す》ませろよ！」

「ヘイヘイ！」

部屋《へや》の中《なか》に入《はい》ると、キッドは「えーっと…」とスマホを探《さが》した。

「あー！　こんなトコに落《お》ちてたわ…」

と、わざと置《お》き忘《わす》れたスマホを見《み》つけたふりをしつつ、カバンの中《なか》でピッとボタンを押《お》す。すると、部屋《へや》の天井《てんじょう》から透明《とうめい》なシートが落《お》ちてきた。

「こ、氷《こおり》に…透明《とうめい》なシートが被《かぶ》さりよった…」

服部《はっとり》が困惑《こんわく》してつぶやく。

するとと続《つづ》けざまに、床《ゆか》の上《うえ》を、コロコロと黒《くろ》い玉《たま》がいくつも転《ころ》がって来《き》た。

「ん？」

プシュウ…。

玉《たま》から次々《つぎつぎ》と煙《けむり》が噴《ふ》き出《だ》し、服部《はっとり》は「わっ」と驚《おどろ》いた。

煙《けむり》はたちまち部屋《へや》の中《なか》に充満《じゅうまん》し、中《なか》の様子《ようす》がまったく見《み》えなくなってしまう。

「お、おい!?」

「何《なん》じゃこの煙《けむり》は!?」

外《そと》にいた中森警部《なかもりけいぶ》と次郎吉《じろきち》が部屋《へや》の入《い》り口《ぐち》に近《ちか》づくと、煙《けむり》の中《なか》からにゅっと手《て》が伸《の》びてきてドアを開《ひら》き、横《よこ》についていた非常《ひじょう》ボタンを押《お》した。

「何《なに》イ!?」

驚《おどろ》く中森警部《なかもりけいぶ》たちの目《め》の前《まえ》で、ガシャーンとドアがしまり、自動《じどう》でカギがかかった。これで、部屋《へや》の中《なか》は密室状態《みっしつじょうたい》になってしまった。

「おい？　どうなってんだ⁉　おい⁉」

中森警部《なかもりけいぶ》はドンドンとドアを叩《たた》き、中《なか》にいる服部《はっとり》たちに向《む》かって呼《よ》びかけた。

しかし次《つぎ》の瞬間《しゅんかん》、部屋《へや》の中《なか》が突然《とつぜん》、真《ま》っ暗《くら》になってしまう。

「どうやら煙玉《けむりだま》が弾《はじ》けて、墨《すみ》のような液《えき》が噴霧《ふんむ》されたようですね…」

諸伏警部《もろふしけいぶ》が冷静《れいせい》に言《い》うと、中森警部《なかもりけいぶ》は「くそっ‼」と歯《は》がみした。

「これじゃあ、中《なか》の様子《ようす》が見《み》えぬわい‼」

次郎吉《じろきち》があせって叫《さけ》ぶ。

すると、部屋《へや》の中《なか》から、ガガガ…と金属音《きんぞくおん》が聞《き》こえてきた。

「こ、この音《おと》はドリル⁉」

「まさか氷《こおり》に穴《あな》を開《あ》けて盗《ぬす》む気《き》か⁉」

「鼠《ねずみ》に投《とう》ずるに…器《うつわ》を忌《い》む…」

あわてふためく中森警部《なかもりけいぶ》と次郎吉《じろきち》をよそに、諸伏警部《もろふしけいぶ》がまたも、意味深《いみしん》なことを口《くち》にする。

「え？」

「鼠《ねずみ》を退治《たいじ》したくて物《もの》を投《な》げつけたいのに、そばの器物《きぶつ》を壊《こわ》すのを恐《おそ》れて投《な》げられないように…キッドは指輪《ゆびわ》を盗《ぬす》みたくても盗《ぬす》めないはず…。この音《おと》はハッタリです！　扉《とびら》が開《あ》くのを待《ま》ちましょう!!」

部屋《へや》の中《なか》からは、ガガガ…と金属音《きんぞくおん》が響《ひび》き続《つづ》けている。

（ほ、本当《ほんとう》に…そうなのか!?）

コナンたちには諸伏警部《もろふしけいぶ》の言《い》うことが信《しん》じられなかったが、かといってドアのロックは、十分間《じっぷんかん》は解除《かいじょ》することができない設定《せってい》だ。一同《いちどう》は、非常《ひじょう》ボタンのパネルに表示《ひょうじ》された残《のこ》り時間《じかん》が減《へ》っていくのを見《み》ながら、十分間《じっぷんかん》が過《す》ぎるのを待《ま》った。

「3《サン》…2《ニィ》…1《イチ》…0《ゼロ》!!」

十分《じっぷん》が過《す》ぎ、ドアのロックが解除《かいじょ》されると、中森警部《なかもりけいぶ》は懐中電灯《かいちゅうでんとう》を手《て》に部屋《へや》のドアを勢《いきお》いよく開《あ》けた。

「2人共《りとも》、そこを動《うご》くな!!」

服部《はっとり》と和葉《かずは》に呼《よ》びかけながら、中《なか》へと踏《ふ》み込《こ》む。

懐中電灯《かいちゅうでんとう》の明《あ》かりを氷《こおり》に向《む》けると、黒《くろ》い布《ぬの》で覆《おお》われていた。

「何《なん》だ、この黒《くろ》い布《ぬの》は⁉」

驚《おどろ》く中森警部《なかもりけいぶ》の後《うし》ろで、コナンは（そうか！）と、すぐにピンときた。

（天井《てんじょう》から落《お》ちたシートが墨《すみ》で黒《くろ》く…）

最初《さいしょ》に天井《てんじょう》から落《お》ちてきた透明《とうめい》なシートが、煙幕《えんまく》から出《で》た墨《すみ》で真《ま》っ黒《くろ》く染《そ》まってしまったのだ。

中森警部《なかもりけいぶ》が、バサッと布《ぬの》をはぎ取《と》る。

（な⁉）

現《あらわ》れた氷《こおり》の状態《じょうたい》を見《み》て、一同《いちどう》は息《いき》をのんだ。

氷《こおり》の中《なか》には、一《ひと》つのみならず、大量《たいりょう》の妖精の唇《フェアリー・リップ》が入《はい》っていたのだ。

「何《なん》なんやコレ⁉」

「指輪《ゆびわ》がいっぱい氷《こおり》の中《なか》に⁉」

予想外《よそうがい》の光景《こうけい》に、服部《はっとり》もコナンも目《め》を見張《みは》った。氷《こおり》は溶《と》けていないのに、キッドはどんな方法《ほうほう》で、こんなに大量《たいりょう》の指輪《ゆびわ》を氷《こおり》の中《なか》に入《い》れたのだろう。

「い、一体《いったい》どうやって⁉」

中森警部《なかもりけいぶ》が氷《こおり》に手《て》をついて言《い》うと、服部《はっとり》も「ホンマにマジックやな…」と感心《かんしん》してつぶやいた。

「ちょっ、ちょっと待《ま》ってください…」

鳥越《とりごえ》は、声《こえ》を震《ふる》わせながら、氷《こおり》の中央《ちゅうおう》を指《ゆび》さした。

「ちゅ…中央《ちゅうおう》に…長《なが》い横穴《よこあな》が開《あ》いていて…。ゆ、指輪《ゆびわ》が…無《な》くなってる⁉」

見《み》ると確《たし》かに、氷《こおり》の中央《ちゅうおう》に、横《よこ》からドリルで掘《ほ》ったような穴《あな》があいている。ちょうど本《ほん》物《もの》の指輪《ゆびわ》があったあたりだ。そして、氷《こおり》の上《うえ》には、キッドからのメッセージが書《か》かれたカードがピンでとめられていた。

妖精《フェアリー》の唇《・リップ》は頂《いただ》いた　怪盗《かいとう》キッド

「よ…妖精《ようせい》の唇《くちびる》は…頂《いただ》いた…。か…怪盗《かいとう》キッド…」

カードの文章《ぶんしょう》を読《よ》み上《あ》げると、中森警部《なかもりけいぶ》は怒《いか》りに任《まか》せてドンと氷《こおり》を叩《たた》いた。

「くそっ!! やっぱり氷《こおり》なんかじゃ守《まも》れなかったんだよ!!」

「しかし何《なん》なんじゃ!? この無数《むすう》の指輪《ゆびわ》は…」

「氷《こおり》ん中《なか》にぎょうさん入《はい》ってるで…」

次郎吉《じろきち》と服部《はっとり》が目《め》を丸《まる》くして氷《こおり》をのぞき込《こ》むと、諸伏警部《もろふしけいぶ》が口《くち》を開《ひら》いた。

「これは、フローラルアイスパフォーマンス…電気《でんき》ドリルを彫刻刀《ちょうこくとう》のように使《つか》って、氷《こおり》の内側《うちがわ》を彫《ほ》り…食用色素《しょくようしきそ》などで着色《ちゃくしょく》し…まるで氷《こおり》の中《なか》に、本物《ほんもの》の花《はな》が存在《そんざい》しているかのように見《み》せるアート…。キッドはそれを、花《はな》ではなく指輪《ゆびわ》でやってのけたんです！ 我々《われわれ》を撹《かく》乱《らん》する為《ため》に、想像《そうぞう》を絶《ぜっ》する早技《はやわざ》で…」

つまり、氷《こおり》の中《なか》にあるたくさんの指輪《ゆびわ》は、本物《ほんもの》ではない。指輪《ゆびわ》に見《み》えるように氷《こおり》の内側《うちがわ》を彫《ほ》ってあるだけなのだ。

「まぁ、細《こま》かい飾《かざ》りやリングは、用意《ようい》していた物《もの》をくっつけたようですが…」

「し、しかしこのガラス張《ば》りの室内《しつない》は墨《すみ》が噴霧《ふんむ》されて真《ま》っ暗《くら》だったはずなのに…一体《いったい》どうやって!?」

次郎吉《じろきち》はおののいて、氷《こおり》の中《なか》の大量《たいりょう》の指輪《ゆびわ》を見《み》つめた。

「中《なか》にいたお前《まえ》らは見《み》てねぇのかよ？」

小五郎《こごろう》に聞《き》かれ、服部《はっとり》が「あぁ！」とうなずく。

「ジイさんの言《ゆ》う通《とお》り、真《ま》っ暗《くら》やったからなァ…」

「シートの内側《うちがわ》に潜《もぐ》ってたんじゃない？」

みんなの視線《しせん》が、一斉《いっせい》にコナンに向《む》く。

「氷《こおり》にかかってた透明《とうめい》なシートも、墨《すみ》で真《ま》っ黒《くろ》になったんなら…シートの内側《うちがわ》に潜《もぐ》り込《こ》んで明《あ》かりをつけたら、彫《ほ》れるからさ！　ホラ、氷《こおり》のそばに電気《でんき》ドリルや着色《ちゃくしょく》スプレーと一緒《いっしょ》に…頭《あたま》に付《つ》けてたライトが落《お》ちてるから、間違《まちが》いないよ！」

コナンが指《ゆび》さした先《さき》には、確《たし》かに、電気《でんき》ドリルや着色《ちゃくしょく》スプレーに交《ま》じって、ベルトで頭《あたま》につけるタイプのライトが落《お》ちている。これがあれば、暗闇《くらやみ》の中《なか》でも作業《さぎょう》ができるだろう。

「なるほど…それやったらこっそり彫《ほ》れるなァ…」

服部《はっとり》がつぶやくと、和葉《かずは》も「せやね…」と同意《どうい》した。

「明《あ》かりが漏《も》れへんから、ウチらにも気《き》づかれへんし…」

すると中森警部《なかもりけいぶ》が、「猿芝居《さるしばい》はそこまでだ…」と服部《はっとり》と和葉《かずは》に詰《つ》め寄《よ》った。

「え？」

「この部屋《へや》に入《はい》ったのはお前《まえ》らだけ！　2人《り》の内《うち》のどっちかがキッドだって事《こと》はわかってんだよ!!　身包《みぐる》み剥《は》いで徹底的《てっていてき》に調《しら》べてやるから…覚悟《かくご》しろ!!」

身包《みぐる》み剥《は》いで徹底的《てっていてき》に——と聞《き》き、キッドは服部《はっとり》の腕《うで》にしがみついた。

「助《たす》けて平次《へいじ》！　このままやとウチ、裸《はだか》にされてまう!!」

「は、裸《はだか》は…裸《はだか》はアカンなァ…」

グッと顔《かお》を近《ちか》づけられ、服部《はっとり》は顔《かお》を赤《あか》くした。

「体《からだ》、調《しら》べんでもわかる方法何《ほうほうなに》かないのん？」

「調《しら》べんでも…」

服部《はっとり》は少《すこ》し考《かんが》え、すぐに「せや！」と思《おも》いついた。

「指輪《ゆびわ》のリングに内蔵《ないぞう》されとるっちゅうセンサーや！　指輪持《ゆびわも》ったまま、あの扉《とびら》んトコ通《とお》ったら…センサーが反応《はんのう》して警報《けいほう》が鳴《な》るんやろ？」

「ああ、そうじゃ！」

次郎吉《じろきち》がうなずくと、服部《はっとり》はキッドと一緒《いっしょ》に、入《い》り口《ぐち》に向《む》かった。

「せやったらオレらを調《しら》べるんは…警報《けいほう》が鳴《な》ってからに…してくれや…」

そう言《い》いながら、ゆっくりと歩《ある》いて部屋《へや》の外《そと》へ出《で》て行《い》く。

服部《はっとり》とキッドが出入《でい》り口《ぐち》を通《とお》っても、ブザーは鳴《な》らなかった。つまり、二人《ふたり》とも指輪《ゆびわ》は持《も》っていないということだ。

「鳴《な》らへんやん…」

キッドが言《い》うと、次郎吉《じろきち》と中森警部《なかもりけいぶ》は「そ…そんな…バカな⁉」と声《こえ》をそろえ、氷《こおり》の方《ほう》を振《ふ》り返《かえ》った。

「じゃあ彼奴《きゃつ》はどうやって…」

「指輪《ゆびわ》を外部《がいぶ》に…」

諸伏警部《もろふしけいぶ》も、何《なに》かを推《お》しはかるようにして、じっと氷《こおり》の様子《ようす》を観察《かんさつ》している。

ともかく、これで服部《はっとり》たちの疑《うたが》いは晴《は》れたようだ。

「平次《へいじ》、ありがとォ♪」

キッドにぎゅっと抱《だ》きつかれ、服部《はっとり》は「く、くっつくなや…」とうれしそうに体《からだ》をよじった。そんな二人《ふたり》の様子《ようす》を見《み》て、蘭《らん》は（わっ！　和葉《かずは》ちゃん大胆《だいたん》…）と照《て》れてしまう。

「と、とにかくオレら2人共《りとも》、キッドやないっちゅうこっちゃ！」

服部《はっとり》が断言《だんげん》するが、隣《となり》にいる和葉《かずは》は、まさしくキッドの変装《へんそう》だ。「せやせや！」と調子《ちょうし》よくうなずきながら、キッドは心《こころ》の中《なか》で笑《わら》いが止《と》まらなかった。

（――って、マジでちょれーなコイツ…。んじゃまあ、仕上《しあ》げといくか…）

キッドは和葉《かずは》の声色《こわいろ》で「あー、アカン！」と声《こえ》を上《あ》げると、部屋《へや》の中《なか》を振《ふ》り返《かえ》った。

「キッドの騒《さわ》ぎで、せっかく取《と》りに行《い》ったウチのスマホ…このガラス張《ば》りの部屋《へや》に置《お》いてきてしもた！」

「しゃーないなぁ…」

服部《はっとり》は、和葉《かずは》のスマホに電話《でんわ》をかけると、出入《でい》り口《ぐち》に立《た》ち「おい、警察《けいさつ》のオッチャン！」と、中《なか》にいる中森警部《なかもりけいぶ》に声《こえ》をかけた。

「その辺《へん》に、コイツのスマホ落《お》ちてへんか？」

「ん？」

視線《しせん》を落《お》とすと、氷《こおり》の前《まえ》にスマホが落《お》ちていて、ピリリ、ピリリ…と着信《ちゃくしん》している。

「ああ…コレか…」

かがみ込《こ》んでスマホを拾《ひろ》う中森警部《なかもりけいぶ》の様子《ようす》を、出入《でい》り口《ぐち》に立《た》ってながめながら、キッドは「ひっくしゅん！」と大《おお》きなくしゃみを一《ひと》つした。

「さぶゥ…」

これ見《み》よがしに体《からだ》を震《ふる》わせると、服部《はっとり》も「ホンマ寒過《さむす》ぎやで…」とうなずく。

中森警部《なかもりけいぶ》は、服部《はっとり》にスマホを渡《わた》しながら「冷房《れいぼう》、効《き》き過《す》ぎなんだよ…」とボヤき、近《ちか》くにいた警備《けいび》の男《おとこ》に「おい！」と声《こえ》をかけた。

「もう指輪《ゆびわ》は盗《と》られちまったんだから、氷《こおり》を保《たも》つ必要《ひつよう》がない！　冷房《れいぼう》を止《と》めるように言《い》って来《こ》い!!」

「はい！」

警備《けいび》の男《おとこ》が走《はし》って行《い》くと、中森警部《なかもりけいぶ》は苦々《にがにが》しげに、冷《ひ》えきった部屋《へや》の中《なか》を見《み》まわした。

「これから、この部屋《へや》ん中《なか》の指紋採取《しもんさいしゅ》とかしなきゃならねぇんだから…。どーせ何《なに》も出《で》て来《こ》ねぇだろーがな…」

「しかし警部《けいぶ》…キッドがどうやって氷《こおり》の中《なか》から宝石《ほうせき》を傷付《きずつ》けずに指輪《ゆびわ》を盗《ぬす》んだのか、まだわかっておらぬのに…氷《こおり》を溶《と》かしてしまうのは、いかがなものか…」

そう言《い》うと、次郎吉《じろきち》は同意《どうい》を求《もと》めて諸伏警部《もろふしけいぶ》の方《ほう》を振《ふ》り返《かえ》った。

「なぁ…諸伏警部《もろふしけいぶ》！　あんたもそう思《おも》うじゃろ？」

「いや…。氷《こおり》の事《こと》は、見事《みごと》にキッドにしてやられたとあきらめて…今《いま》は、この室内《しつない》を隈無《くまな》く調《しら》べ…彼《かれ》がどこから侵入《しんにゅう》し、どこから出《で》て行《い》ったかを知《し》るべきでしょう…。なので、冷《れい》房《ぼう》は切《き》られた方《ほう》がいいのでは？　捜査《そうさ》する方達《かたたち》が風邪《かぜ》をひいたら、元《もと》も子《こ》もありませんから…」

諸伏警部《もろふしけいぶ》の意見《いけん》を聞《き》いた次郎吉《じろきち》は「あ、あんたがそういうのなら…」とあっさり引《ひ》き下《さ》がった。

ここまでの展開《てんかい》は、キッドの読《よ》み通《どお》りだ。

(よっしゃ！　完璧《かんぺき》!!)

すっかり勝利《しょうり》を確信《かくしん》してガッツポーズを決《き》めるキッドに、「ねぇ…」とコナンが声《こえ》をかけた。

「え？」

「もしかして和葉姉《かずはねえ》ちゃん、トイレ我慢《がまん》してるの？　さっきからずーっとヒザ閉《と》じて、かがみ気味《ぎみ》だけど…」

「せ、せやねん！　冷房《れいぼう》でちょっと冷《ひ》えてしもて…」

キッドがごまかして答《こた》えると、蘭《らん》はあわてて「コラ！　女《おんな》の子《こ》にそんな事聞《ことき》かないの！」とコナンを注意《ちゅうい》した。

「トイレ行《い》くんやったら、オレも付《つ》き合《お》うたるで…。墨《すみ》で黒《くろ》ォなった顔《かお》とか洗《あら》いたいし…」

服部《はっとり》が言《い》い、キッドが「せ、せやね…」とうなずく。

「ほんなら後《あと》でな…」

キッドを連《つ》れて展示室《てんじしつ》を出《で》て行《い》く服部《はっとり》の後《うし》ろ姿《すがた》を、コナンと諸伏警部《もろふしけいぶ》は無言《むごん》で見送《みおく》った。二人《ふたり》とも、何《なに》かを察《さっ》しているような表情《ひょうじょう》だ。しかし、まだ誰《だれ》も、和葉《かずは》がキッドの変装《へんそう》だとは明言《めいげん》していない。キッドがどうやって、出入《でい》り口《ぐち》のブザーを鳴《な》らさずに妖精の唇《フェアリー・リップ》を持《も》ち去《さ》ったのかも、まだ謎《なぞ》のままだ。

「しかし、盗《と》られてしまった以上《いじょう》、頂《いただ》く物《もの》は頂《いただ》きますよ？　世界最大級《せかいさいだいきゅう》のコンクパール…妖精の唇《フェアリー・リップ》の賠償金《ばいしょうきん》を、たんまりとね…」

ニヤついて言《い》う鳥越《とりごえ》に、次郎吉《じろきち》は「ああ、わかっておるわ！」とうっとうしそうに言《い》い返《かえ》した。

その時《とき》、諸伏警部《もろふしけいぶ》のスマホが、ブルル、ブルルと着信《ちゃくしん》した。諸伏警部《もろふしけいぶ》の幼《おさな》なじみの、大和警部《やまとけいぶ》からだ。

「あぁ敢助君《かんすけくん》…。どうしたんですか？　こんな時間《じかん》に…」

『どうしたじゃねぇだろ!?　高明《コウメイ》！　お前《まえ》言《い》ったじゃねぇか!!　怪盗《かいとう》なんちゃらっていう泥棒《どろぼう》を捕《つか》まえたら連絡《れんらく》するって!!　予告《よこく》の時間《じかん》の零時《れいじ》はとっくに過《す》ぎてんのに…何《なん》で電話《でんわ》よこさねぇんだよ!?』

『みんな家《いえ》に帰《かえ》らずに待《ま》ってたのよ？』

と、上原刑事《うえはらけいじ》の声《こえ》も聞《き》こえてくる。二人《ふたり》は長野県警本部《ながのけんけいほんぶ》で、諸伏警部《もろふしけいぶ》からの電話《でんわ》を待《ま》っていたらしい。

「すみません…。例《れい》の怪盗《かいとう》は『宝石《ほうせき》を頂《いただ》いた』というカードを残《のこ》して消《き》えてしまって…」

『あんだよ？　やられちまったのか？　――にしてはガッカリしてねぇな、お前《まえ》…』

「将為《しょうた》るの道《みち》は、勝《しょう》を以《もっ》て喜《よろこ》びと為《な》す勿《な》く、敗《はい》を以《もっ》て憂《うれ》いと為《な》す勿《な》し…。勝《か》っても有頂天《うちょうてん》にならず、負《ま》けても落胆《らくたん》しないのが、将《しょう》たる者《もの》の道《みち》ですよ…」

中国《ちゅうごく》のことわざを引用《いんよう》して答《こた》える諸伏警部《もろふしけいぶ》に、大和警部《やまとけいぶ》は『ちっ！　またことわざかよ？』とあきれてしまった。

諸伏警部《もろふしけいぶ》は、心《こころ》の中《なか》で（それに…勝敗《しょうはい》はまだ…決《けっ》してませんしね…）と付《つ》け加《くわ》えた。諸《もろ》伏警部《ふしけいぶ》にはまだ、ここからキッドを捕《つか》まえる秘策《ひさく》があるのだ。

『それより、例《れい》の物《ブツ》はどうだったんだ？　本当《ほんとう》にお前宛《まえあて》の荷物《にもつ》だったのか？』

「いや…それは明日《あした》受《う》け取《と》る予定《よてい》なので…。零時《れいじ》を回《まわ》ったのでもう今日《きょう》ですが…」

『でもその封筒《ふうとう》をロッカーに入《い》れっ放《ぱな》しにしてたっていう刑事《けいじ》の名前《なまえ》…。お前《まえ》、覚《おぼ》えがねえんだろ？』

「ですが、その封筒《ふうとう》に貼《は》ってあったというメモに書《か》いてあった名前《なまえ》は…かなりにじんでいましたが…私《わたし》の名前《なまえ》に読《よ》めなくはありませんでしたから…」

諸伏警部《もろふしけいぶ》が東京《とうきょう》に来《き》たのは、諸伏警部宛《もろふしけいぶあて》の封筒《ふうとう》を確認《かくにん》するためだ。その封筒《ふうとう》は、警視庁《けいしちょう》の刑事《けいじ》が使《つか》っていたロッカーから見《み》つかったという。封筒《ふうとう》の表《おもて》に貼《は》られていたメモは、にじんではいたものの、『これを長野県警諸伏高明警部《ながのけんけいもろふしたかあきけいぶ》に送《おく》ってくれ』と書《か》いてあるように見《み》えた。

『けどお前《まえ》、東京《とうきょう》に知《し》り合《あ》いいたか？』

大和警部《やまとけいぶ》が不思議《ふしぎ》そうに聞《き》くと、電話《でんわ》の向《む》こうで『いたんじゃなかった？』と上原刑事《うえはらけいじ》の声《こえ》がした。

『警視庁《けいしちょう》に入《はい》った弟《おとうと》さんが…。ホラ！　ご両親《りょうしん》が亡《な》くなったせいで、東京《とうきょう》の親戚《しんせき》に引《ひ》き取《と》られたっていう…』

「ええ…。その小包《こづつ》みを持《も》っていた刑事《けいじ》は…弟《おとうと》の知《し》り合《あ》いなのかもしれませんね…」

『んじゃその弟《おとうと》に確《たし》かめさせりゃいいんじゃねぇか？』

「それが…随分前《ずいぶんまえ》に警察《けいさつ》を辞《や》め、別《べつ》の仕事《しごと》に就《つ》いたと聞《き》いてから何《なん》の音沙汰《おとさた》もなくて…」

諸伏警部《もろふしけいぶ》は、ふと遠《とお》い目《め》になって、天《てん》を仰《あお》いだ。

「今頃《いまごろ》…一体何処《いったいどこ》で…何《なに》をやっているのやら…」


妖精の唇《フェアリー・リップ》は消《き》え失《う》せ、キッドの行方《ゆくえ》もつかめない。小五郎《こごろう》たちは、やることがなくなってしまった。

「んじゃ、キッドも来《き》ちまった事《こと》だし…タクシーで家《いえ》に帰《かえ》るか！」

ふぁ…とあくびをしながら小五郎《こごろう》が言《い》うと、和葉《かずは》に変装《へんそう》したキッドは「え〜〜〜」と不満《ふまん》そうな声《こえ》を上《あ》げた。

「タクシーなんかもったいないで…。蘭《らん》ちゃん家《ち》まで結構《けっこう》あんのに…」

「でも、始発《しはつ》まで4時間《じかん》ぐらいあるよ？」

蘭《らん》が携帯《けいたい》を見《み》て、時間《じかん》を確認《かくにん》しながら言《い》う。

「せやったら、この博物館《はくぶつかん》のどっかの部屋《へや》で仮眠《かみん》とらせてもらおーや！」

キッドの提案《ていあん》に、服部《はっとり》は「せやな…。スタッフが休憩《きゅうけい》する部屋《へや》とかあるやろうし…」とうなずいた。

「ほんならウチ、次郎吉《じろきち》さんに頼《たの》んで来《く》るわ！」

そう言《い》って、和葉《かずは》がタタ…と駆《か》けて行《い》くと、服部《はっとり》はあわてて「オ、オレも付《つ》き合《お》うたるで！」と後《あと》を追《お》った。

「何《なん》だかんだいって、仲《なか》いいなあ、あの2人《り》…」

「だね♡」

小五郎《こごろう》と蘭《らん》が、服部《はっとり》と和葉《かずは》の後《うし》ろ姿《すがた》を微笑《ほほえ》ましく見守《みまも》る。すると、コナンが「いや…」と口《くち》を挟《はさ》んだ。

「平次兄《へいじにい》ちゃんがくっついてるのは、逃《に》がさない為《ため》だよ…」

「に、逃《に》がさないって？」

蘭《らん》が、不可解《ふかかい》そうにコナンを見《み》る。

「だってあの和葉姉《かずはねえ》ちゃん…怪盗《かいとう》キッドなんだもん！」

コナンがあっさりと言《い》うと、蘭《らん》と小五郎《こごろう》は「えええっ⁉」「マジか⁉」と度肝《どぎも》を抜《ぬ》かれた。

「間違《まちが》いないよ！　あの和葉姉《かずはねえ》ちゃん、ずーっとヒザ曲《ま》げてかがんでるし…本物《ほんもの》の和葉姉《かずはねえ》ちゃんは自分《じぶん》の事《こと》『アタシ』って言《い》うのに…あの和葉姉《かずはねえ》ちゃんは『ウチ』って言《い》ってるし…」

蘭《らん》は、去《さ》って行《い》く和葉《かずは》に視線《しせん》をやった。言《い》われてみれば確《たし》かに、ヒザを曲《ま》げてかがみ込《こ》んだ不自然《ふしぜん》な姿勢《しせい》で歩《ある》いている。

「た、確《たし》かにそうね…」

「だったら何《なん》でまだ逃《に》げずにここにいるんだよ？」

小五郎《こごろう》の疑問《ぎもん》に、（その理由《りゆう》はもう…アレっきゃねぇよな…）と心《こころ》の中《なか》で答《こた》え、コナンは不敵《ふてき》に目《め》を細《ほそ》めた。

「でも服部君《はっとりくん》…ホントにキッドだって、気《き》づいてるのかなぁ？」

蘭《らん》がぽつりと言《い》う。服部《はっとり》は確《たし》かに、和葉《かずは》のすぐそばに張《は》りついていたが、キッドのことをマークしているというより、ただただ和葉《かずは》のことが気《き》になっているだけのように見《み》えた。

「た、多分《たぶん》…」と答《こた》えつつ、コナンはにわかに心配《しんぱい》になってきてしまった。


服部《はっとり》と和葉《かずは》が部屋《へや》を貸《か》してもらえないか頼《たの》みに行《い》くと、次郎吉《じろきち》は快《こころよ》く了承《りょうしょう》してくれた。

「うわぁ、フッカフカや！」

案内《あんない》された部屋《へや》のソファーに座《すわ》るなり、和葉《かずは》は声《こえ》をはずませた。

「このソファーやったら、ぐっすり仮眠《かみん》できるんちゃう？」

「せやな…」

ソファーは充分《じゅうぶん》な大《おお》きさがあり、次郎吉《じろきち》はブランケットまで用意《ようい》してくれた。ここならば、全員《ぜんいん》がゆっくり休《やす》めそうだ。

「早《は》よ蘭《らん》ちゃん達《たち》、呼《よ》んで来《こ》よ！」

「けどオレ、クーラー苦手《にがて》やし…扇風機《せんぷうき》なしで寝《ね》られるかのォ…」

「眠《ねむ》れへんなら、ウチが添《そ》い寝《ね》したってもええねんでー♡」

キッドがからかうと、服部《はっとり》は「お前《まえ》…何言《なにゆ》うてんねん⁉」と真《ま》っ赤《か》になってしまった。

「なーんて冗談《じょうだん》や、冗談《じょうだん》！　余計《よけい》寝《ね》られへんわなァ？」

服部《はっとり》の素直《すなお》な反応《はんのう》が楽《たの》しくて、キッドはすっかり上機嫌《じょうきげん》だ。

ところが、服部《はっとり》は急《きゅう》に真顔《まがお》になると、キッドの背後《はいご》の壁《かべ》にドンと手《て》をついた。雰囲気《ふんいき》が急《きゅう》に変《か》わったので、キッドは（え？）ととまどってしまう。

「ええ加減《かげん》にせぇよ、コラ…。さっきからしょーもない事《こと》ぬかしよって…。どうやら黙《だま》らせるには…そのふざけた口《くち》、塞《ふさ》がなアカンみたいやな…」

そう言《い》うと、服部《はっとり》はキッドを和葉《かずは》と勘違《かんちが》いしたまま、唇《くちびる》を近《ちか》づけた。

（おいおいおい……）

キッドはあせった。このままでは、服部《はっとり》にキスをされてしまう。

(待《ま》て！　待《ま》て!!　待《ま》て！！！)

キッドはひかえめに服部《はっとり》の胸《むね》を押《お》し返《かえ》したが、服部《はっとり》は止《と》まらない。

二人《ふたり》の唇《くちびる》が、今《いま》にも触《ふ》れそうになった瞬間《しゅんかん》——。

バン！

勢《いきお》いよくドアが開《あ》いて、蘭《らん》が飛《と》び込《こ》んできた。服部《はっとり》がキッドの変装《へんそう》に気《き》づいているのか心配《しんぱい》になり、急《いそ》いで駆《か》けつけたのだ。後《うし》ろには、コナンの姿《すがた》もある。

服部《はっとり》はパッと和葉《かずは》から離《はな》れた。

「な、何《なん》やねん!?　急《きゅう》にでかい音出《おとだ》しよって！」

キッドも「ビ、ビックリするやん！」と苦笑《にがわら》いしつつ、内心《ないしん》では心底《しんそこ》ほっとしていた。

蘭《らん》が来《き》てくれなかったら、今頃《いまごろ》、服部《はっとり》に唇《くちびる》を奪《うば》われていたかもしれない。

「も、もう眠《ねむ》くて眠《ねむ》くて、早《はや》く仮眠《かみん》とりたいから急《いそ》いで来《き》ちゃった…」

ごまかして言《い》う蘭《らん》の横《よこ》で、コナンは(——つぶねぇ！)と胸《むね》をなでおろしていた。

(まさか、服部《はっとり》…その和葉《かずは》ちゃんがキッドの変装《へんそう》だって、気《き》づいてなかったとは…。そーいえば大阪《おおさか》の戎橋《えびすばし》の時《とき》も、和葉《かずは》ちゃんがからむと…ヘッポコ探偵《たんてい》に成《な》り下《さ》がってたな、コイツ…）

戎橋《えびすばし》の時《とき》とは、麻薬取引《まやくとりひき》に関《かん》する暗号《あんごう》を服部《はっとり》とコナンが解《と》き明《あ》かした事件《じけん》のことだ。あの時《とき》も、和葉《かずは》が絡《から》んだ途端《とたん》に、服部《はっとり》は冷静《れいせい》な判断力《はんだんりょく》を失《うしな》ってしまった。

「お！　結構広《けっこうひろ》いじゃねーか！」

蘭《らん》とコナンに遅《おく》れて、小五郎《こごろう》も、部屋《へや》の中《なか》に入《はい》って来《く》る。小五郎《こごろう》は、大《おお》きなソファーを見《み》つけると、すぐさま寝《ね》そべり、

「昼《ひる》までここで寝《ね》てっても構《かま》わねぇぞ！　俺《おれ》、眠《ねむ》りの小五郎《こごろう》だしなー！」

と、上機嫌《じょうきげん》で高笑《たかわら》いを上《あ》げた。

午前四時《ごぜんよじ》。

コナンたちが部屋《へや》でぐっすりと眠《ねむ》っている中《なか》、キッドはそーっと起《お》き上《あ》がった。和葉《かずは》の変装《へんそう》をしたまま、こっそりと部屋《へや》を出《で》る。

(あれから4時間《じかん》たったから…そろそろか?)

ワクワクしながら廊下《ろうか》を走《はし》り、妖精の唇《フェアリー・リップ》が展示《てんじ》されている部屋《へや》まで戻《もど》って来《く》る。物陰《ものかげ》から様子《ようす》をうかがうと、中森警部《なかもりけいぶ》が冷房《れいぼう》を切《き》ってくれたおかげで、氷《こおり》は大人《おとな》の腰《こし》ほどの高《たか》さまで溶《と》けていた。

(おーっ! 結構溶《けっこうと》けてるじゃねーか! 高《たか》さ3m《メートル》ぐらいあったから、ちと、心配《しんぱい》だったけど…。最近《さいきん》、暑《あつ》いからねぇ…)

キッドは早速《さっそく》、近《ちか》くで作業《さぎょう》をしている警備《けいび》たちに声《こえ》をかけた。

「ガラス張《ば》りの部屋《へや》ん中《なか》に、コンタクト落《お》としてしもたみたいで…取《と》りに行《い》ってもかめへん?」

「いいですよ! もう鑑識《かんしき》さんが調《しら》べ終《お》わった後《あと》だから…。氷《こおり》が溶《と》けて床《ゆか》が濡《ぬ》れてるから気《き》をつけて…」

キッドは警備《けいび》に「おーきに!」とお礼《れい》を言《い》い、部屋《へや》の中《なか》に入《はい》った。

氷《こおり》は、中央《ちゅうおう》が溶《と》けてくぼみのようになり、その中《なか》に水《みず》が溜《た》まっている。

「えーっと…どこやったかなぁ…」

コンタクトレンズを探《さが》すふりをしながら、キッドは氷《こおり》に近《ちか》づいて、溜《た》まった水《みず》の中《なか》に手《て》を突《つ》っ込《こ》んだ。バシャバシャと水《みず》をかくと、指《ゆび》の先《さき》に何《なに》かかたいものが触《ふ》れる。

妖精の唇《フェアリー・リップ》だ。

(世界最大級《せかいさいだいきゅう》のコンクパール…妖精の唇《フェアリー・リップ》、GET《ゲット》だぜ!!)

目当《めあ》ての宝石《ほうせき》を握《にぎ》りしめ、キッドが勝利《しょうり》の笑《え》みを浮《う》かべた、次《つぎ》の瞬間《しゅんかん》——

カッ。

照明《しょうめい》が和葉《かずは》を明《あか》るく照《て》らした。部屋《へや》の周《まわ》りを、コナンや中森警部《なかもりけいぶ》、次郎吉《じろきち》、そして諸伏《もろふし》警部《けいぶ》たちが取《と》り囲《かこ》んでいる。

「鷙鳥累百《しちょうるいひゃく》…一鶚《いちがく》に如《し》かず…」

諸伏警部《もろふしけいぶ》が、ゆっくりとつぶやく。

キッドはわけがわからず、照《て》らされた照明《しょうめい》のまぶしさに目《め》を細《ほそ》めた。

「な、何《なに》?」

「鷙鳥《しちょう》とは、ツバメの事《こと》…。そして鶚《がく》とは鷹《たか》の事《こと》…。つまりツバメが百羽《ひゃくわ》集《あつ》まっても、一《いち》羽《わ》の鷹《たか》には及《およ》ばないという意味《いみ》です…」

「せやから、それが何《なん》なん？」

キッドはあせりつつも、平静《へいせい》を保《たも》ったまま聞《き》いた。

諸伏警部《もろふしけいぶ》が悠々《ゆうゆう》と、自分《じぶん》の推理《すいり》を語《かた》り始《はじ》める。

「あなたは、フローラルアイス・パフォーマンスでたくさんの指輪《ゆびわ》を氷《こおり》の中《なか》に出現《しゅつげん》させて、我々《われわれ》を撹乱《かくらん》し…氷《こおり》の中央《ちゅうおう》に大《おお》きな横穴《よこあな》を開《あ》けた上《うえ》で、犯行達成《はんこうたっせい》のカードを貼《は》り…まるで本《ほん》物《もの》の指輪《ゆびわ》は盗《ぬす》んだかのように見《み》せかけたかったようですが…私《わたし》の目《め》はごまかせません！　氷《こおり》を削《けず》って着色《ちゃくしょく》された、偽《いつわ》りの指輪《ゆびわ》が百個《ひゃっこ》あろうとも…本物《ほんもの》のコンクパールの美《うつく》しさには到底及《とうていおよ》びませんからね…」

本物《ほんもの》の妖精《フェアリー》の唇《・リップ》は、まだ盗《ぬす》まれていなかった。氷《こおり》の中央《ちゅうおう》にあった、ドリルで彫《ほ》ったような横穴《よこあな》は、本物《ほんもの》の指輪《ゆびわ》がすでに盗《ぬす》まれたかのように見《み》せかけるための罠《わな》だったのだ。しかし、諸伏警部《もろふしけいぶ》はだまされず、彫刻《ちょうこく》の指輪《ゆびわ》の中《なか》に本物《ほんもの》が紛《まぎ》れ込《こ》んでいることを、しっかり見《み》抜《ぬ》いていた。

「んじゃわかってて、こっちの出方《でかた》をうかがってたのか…」

手《て》の中《なか》の妖精《フェアリー》の唇《・リップ》を軽《かる》く投《な》げ上《あ》げながら、キッドが余裕《よゆう》の表情《ひょうじょう》で言《い》う。

「ええ…どーせなら、指輪《ゆびわ》を盗《ぬす》む所《ところ》を現行犯《げんこうはん》で押《お》さえようかと…」

「当然《とうぜん》、この娘《こ》がオレの変装《へんそう》だと気《き》づいてたのね…」

「もちろん…。一人称《いちにんしょう》がアタシからウチに変《か》わっていましたし…。ヒザを曲《ま》げて背《せ》を低《ひく》く見《み》せておられましたから…。皆《みな》さんも、お気《き》づきになってましたよね？」

諸伏警部《もろふしけいぶ》に確認《かくにん》され、中森警部《なかもりけいぶ》、次郎吉《じろきち》、そして服部《はっとり》は、

「あ…」

「ああ…」

「も、もちろんや！」

と、ぎこちなくうなずいた。みんなの反応《はんのう》を見《み》る限《かぎ》り、キッドの変装《へんそう》を見抜《みぬ》いていたのは、コナンと諸伏警部《もろふしけいぶ》だけのようだ。

「でも、そこまで読《よ》んでたんなら…本物《ほんもの》の指輪《ゆびわ》は回収《かいしゅう》しておくべきだったたな…」

楽《たの》しげに言《い》うと、キッドは素早《すばや》くサングラスをかけ、火《ひ》のついた閃光弾《せんこうだん》を床《ゆか》に投《な》げつけた。

カッ！

強《つよ》い光《ひかり》に目《め》がくらみ、コナンたちはとっさに目《め》をつぶってしまう。続《つづ》けざま、ボムッと白《しろ》い煙《けむり》が巻《ま》き起《お》こって、部屋中《へやじゅう》に充満《じゅうまん》した。

「うわっ！　今度《こんど》は真《ま》っ白《しろ》や！」

驚《おどろ》く服部《はっとり》に、中森警部《なかもりけいぶ》が「慌《あわ》てるな」と声《こえ》をかける。

「ただの煙幕《えんまく》だ!!」

「空調《くうちょう》から煙《けむり》を全《すべ》て放出《ほうしゅつ》すれば…出入《でい》り口《ぐち》は封鎖《ふうさ》しておるから、彼奴《きゃつ》は袋《ふくろ》のネズミじゃわい!!」

次郎吉《じろきち》が自信満々《じしんまんまん》に言《い》い、一同《いちどう》はその場《ば》にとどまって、部屋《へや》の中《なか》の煙《けむり》が晴《は》れるのを待《ま》った。

空調《くうちょう》から煙《けむり》が放出《ほうしゅつ》されるにしたがって、次第《しだい》に煙《けむり》も薄《うす》れていく。

「よーし、煙《けむり》が抜《ぬ》けて…」

中森警部《なかもりけいぶ》と次郎吉《じろきち》は部屋《へや》に突入《とつにゅう》しようとして、すぐに「ん？」と異変《いへん》に気《き》づいた。氷《こおり》の手前《てまえ》の床《ゆか》が、パカッと開《ひら》いているのだ。その先《さき》には階段《かいだん》があって、地下《ちか》の通路《つうろ》につながっているようだ。

「何《なん》だ、あの抜《ぬ》け穴《あな》は⁉」

「いつの間《ま》に⁉」

動揺《どうよう》する中森警部《なかもりけいぶ》と次郎吉《じろきち》をしりめに、諸伏警部《もろふしけいぶ》は「やはり逃走経路《とうそうけいろ》はそこでしたか…」と冷静《れいせい》につぶやいた。

「やはりって…事前《じぜん》に見抜《みぬ》いておったのか？」

「ええ…。先《さき》ほど、ガラス張《ば》りの室内《しつない》を調《しら》べた時《とき》に…。でも、あえて見過《みす》ごしたんですよ…。怪盗《かいとう》キッドは、目当《めあ》ての宝石《ほうせき》でなければ持《も》ち主《ぬし》に返《かえ》すと聞《き》きましたから…」

「おお！　では後程《のちほど》、私《わたし》の元《もと》へ返《かえ》って来《く》るわけですね！」

色《いろ》めきたつ鳥越《とりごえ》に、服部《はっとり》は「そら、アンタがホンマにあの宝石《ほうせき》の持《も》ち主《ぬし》やった場合《ばあい》や！」と言《い》い放《はな》った。

「何《なに》？」

「アンタ、言《ゆ》うてたよな？　あの真珠《しんじゅ》は、三重県《みえけん》の英虞湾《あごわん》に眠《ねむ》ってたアコヤ貝《がい》の中《なか》にあって…。真珠独特《しんじゅどくとく》のオリエント効果《こうか》の輝《かがや》きに魅《み》せられたって…」

「あ、ああ…」

「せやけど、ホンマのコンクパールは、メキシコ湾《わん》やカリブ海《かい》とかに生息《せいそく》しとるピンク貝《がい》からしか採《と》れへんし…コンクパールは虹色《にじいろ》に光《ひか》る『オリエント効果《こうか》』やのーて、表面《ひょうめん》に出《で》る『火焔模様《かえんもよう》』っちゅうきれいな曲線《きょくせん》の模様《もよう》が特徴《とくちょう》や！　つまり…あの宝石《ほうせき》のホンマの持《も》ち主《ぬし》は、アンタやのーて…『昔《むかし》、おじいちゃんがカリブの大富豪《だいふごう》からもろた』って叫《さけ》んでたあの姉《ねえ》ちゃんの方《ほう》やっちゅうこっちゃ！」

「じゃあ後《あと》で、じっくり話《はなし》を聞《き》かせてもらおうか…」

中森警部《なかもりけいぶ》に詰《つ》め寄《よ》られ、鳥越《とりごえ》は滝《たき》のような汗《あせ》をかいて言《い》い訳《わけ》を始《はじ》めた。山本《やまもと》が言《い》っていた通《とお》り、鳥越《とりごえ》は山本《やまもと》から妖精《フェアリー・リップ》の唇をだまし取《と》ったのだろう。

「オメーも気《き》づいてたのか。あの宝石《ほうせき》ブローカーが怪《あや》しいって…」

コナンが、鳥越《とりごえ》と中森警部《なかもりけいぶ》とのやり取《と》りを見守《みまも》りながら言《い》う。

「ああ！　こっちの方《ほう》はすぐに偽者《ニセモン》やとわかったわ！」

得意《とくい》げに胸《むね》を張《は》る服部《はっとり》に、「『こっちの方《ほう》は』ってどういう事《こと》なん？」と、ツッコミが入《はい》った。

本物《ほんもの》の和葉《かずは》だ。キッドにトイレで眠《ねむ》らされていたところを、無事《ぶじ》に保護《ほご》されたらしい。

「まさか平次《へいじ》、キッドがアタシに変装《へんそう》してたって…気《き》づいてなかったんちゃう?」

「ア、アホ! すぐに気《き》ィついたけど泳《およ》がせとったんや…」

「ほんなら言《ゆ》うてみ! どこが違《ちご》ぅてたか!!」

和葉《かずは》にジトッとにらまれ、服部《はっとり》は「せ、せやから…」としどろもどろになってしまった。

「あ、青《あお》ノリや! 偽者《ニセモン》の和葉《かずは》の歯《は》に、青《あお》ノリ付《つ》いてへんかったし…」

苦《くる》しまぎれの理由《りゆう》を述《の》べると、和葉《かずは》は真《ま》に受《う》けて、「やっぱり青《あお》ノリやー!」と恥《は》ずかしそうに口元《くちもと》を押《お》さえた。

服部《はっとり》は苦笑《にがわら》いでコナンに向《む》き直《なお》ると、「そ、それより、あの泥棒《どろぼう》どこに行《い》ったんやろな?」と、話題《わだい》をそらした。

「宝石《ほうせき》の持《も》ち主《ぬし》に疑《うたが》いを持《も》って、犯行《はんこう》を早《はや》めたんだろーから…多分《たぶん》、今頃《いまごろ》は…」


山本《やまもと》は、祖母《そぼ》の葬儀《そうぎ》が行《おこな》われる予定《よてい》の教会《きょうかい》にいた。

「おばあちゃん、ごめんなさい…。おばあちゃんがおじいちゃんにもらった、思《おも》い出《で》の宝《ほう》石《せき》…。天国《てんごく》に持《も》ってって欲《ほ》しかったのに…取《と》り返《かえ》せなかった…」

祖母《そぼ》の遺体《いたい》が入《はい》った棺《ひつぎ》に向《む》かって語《かた》りかける。鳥越《とりごえ》にだまし取《と》られた妖精の唇《フェアリー・リップ》を取《と》り返《かえ》せなかったことが、無念《むねん》で仕方《しかた》なかった。

「生《い》きてる内《うち》に、もっと聞《き》きたかったな…。あのピンク色《いろ》の真珠《しんじゅ》のお話《はなし》を…」

目《め》に涙《なみだ》を浮《う》かべる山本《やまもと》の背後《はいご》で、若《わか》い男《おとこ》の声《こえ》がした。

「今《いま》から丁度《ちょうど》、半世紀前《はんせいきまえ》…カリブのある大富豪《だいふごう》が、世界一周《せかいいっしゅう》の船旅《ふなたび》をしていた際《さい》に…身重《みおも》だった大富豪《だいふごう》の奥方《おくがた》が、急《きゅう》に産気《さんけ》づいてしまい大慌《おおあわ》て…」

ゆっくりと言《い》いながら、男《おとこ》はカツカツと靴音《くつおと》を鳴《な》らして歩《ある》いて来《く》る。

「そこへ、偶然新婚旅行《ぐうぜんしんこんりょこう》で船《ふね》に乗《の》り合《あ》わせていた、外科医《げかい》でもあるあなたの祖父《そふ》が…専門《せんもん》外《がい》にもかかわらず、自分《じぶん》の医学知識《いがくちしき》を駆使《くし》して無事《ぶじ》に出産《しゅっさん》させ…その感謝《かんしゃ》の意《い》を込《こ》めて、大富豪《だいふごう》が祖父《そふ》に贈《おく》ったのが…世界最大級《せかいさいだいきゅう》のコンクパール…。ビックジュエルの一《ひと》つでもある…この妖精の唇《フェアリー・リップ》ですよ…。山本萌奈《やまもともえな》さん？」

「あ、あなたは…怪盗《かいとう》キッド!!」

山本《やまもと》は驚《おどろ》いて叫《さけ》んだ。

なぜ、怪盗《かいとう》キッドはここにいるのだろう。しかも、その手《て》には、妖精の唇《フェアリー・リップ》が握《にぎ》られている。

「その時《とき》に生《う》まれた大富豪《だいふごう》の息子《むすこ》のブログに、スペイン語《ご》で詳《くわ》しく書《か》かれていましたから…。恐《おそ》らくあの宝石《ほうせき》ブローカーは、それを読《よ》んで、宝石《ほうせき》をだまし取《と》ろうと考《かんが》えたんでしょう…」

言《い》いながら、キッドは宝石《ほうせき》を月《つき》にかざした。

キッドが怪盗《かいとう》をしているのは、ある宝石《ほうせき》を探《さが》しているから。そして、キッドが探《さが》しているその宝石《ほうせき》は、月《つき》の光《ひかり》で照《て》らすと、中《なか》に赤《あか》い宝石《ほうせき》が見《み》えるのだ。しかし、妖精の唇《フェアリー・リップ》の中《なか》には、何《なに》も見《み》えなかった。

「残念《ざんねん》ながら、この宝石《ほうせき》は…私《わたし》が狙《ねら》っていた宝石《ほうせき》ではなかったようなので…おばあ様《さま》の黄泉《よみ》の国《くに》での船旅《ふなたび》に…彩《いろどり》を添《そ》えて頂《いただ》けますか？」

「はい、もちろん！」

キッドに妖精の唇《フェアリー・リップ》を差《さ》し出《だ》され、山本《やまもと》は笑顔《えがお》で受《う》け取《と》った。

諸伏警部《もろふしけいぶ》を警視庁《けいしちょう》に呼《よ》び出《だ》した刑事《けいじ》とは、捜査一課《そうさいっか》の佐藤美和子刑事《さとうみわこけいじ》と高木渉刑事《たかぎわたるけいじ》だった。

事件《じけん》のあと、佐藤刑事《さとうけいじ》と高木刑事《たかぎけいじ》は改《あらた》めて、諸伏警部《もろふしけいぶ》と警視庁《けいしちょう》で面会《めんかい》することになった。

諸伏警部宛《もろふしけいぶあて》らしき封筒《ふうとう》が見《み》つかったのは、殉職《じゅんしょく》した伊達航刑事《だてわたるけいじ》のロッカーからだった。

「え？　伊達《だて》さんのロッカーから小包《こづつみ》が出《で》て来《き》た？　長野県警《ながのけんけい》の警部《けいぶ》さん宛《あて》の小包《こづつみ》がですか？」

今《いま》さら伊達刑事《だてけいじ》の荷物《にもつ》からそんなものが見《み》つかったことに、高木刑事《たかぎけいじ》は驚《おどろ》いていた。伊《だ》達刑事《てけいじ》は高木刑事《たかぎけいじ》の教育係《きょういくがかり》だった人物《じんぶつ》だ。勤務中《きんむちゅう》に交通事故《こうつうじこ》にあって亡《な》くなってから、もう一年《いちねん》になる。

「ええ…。正確《せいかく》には伊達《だて》さんに届《とど》いた小包《こづつみ》の中《なか》に…その警部《けいぶ》さんに送《おく》ってくれと、メモ書《が》きされた封筒《ふうとう》が入《はい》ってたんだけど…一年前《いちねんまえ》に彼《かれ》が交通事故《こうつうじこ》で亡《な》くなってから、ずっと放《ほう》っとかれてたのよ…。まあ、そのメモ書《が》きの字《じ》がにじんでて、読《よ》み辛《づら》かったのもあるけど…」

「じゃあ、それを伊達《だて》さんに送《おく》った送《おく》り主《ぬし》の名前《なまえ》も、にじんでたんですか？」

「書《か》いてないのよ…。ホラ、丸印《まるじるし》が付《つ》いてるだけで…」

佐藤刑事《さとうけいじ》は高木刑事《たかぎけいじ》に封筒《ふうとう》を見《み》せた。裏面《うらめん》に送《おく》り主《ぬし》の名前《なまえ》はなく、小《ちい》さな楕円《だえん》が書《か》かれているだけだ。佐藤刑事《さとうけいじ》は丸印《まるじるし》だと思《おも》ったようだが、数字《すうじ》のゼロにも読《よ》めなくはない。

「でも、一年間《いちねんかん》もロッカーに放《ほう》っておかれてたなんて…」

高木刑事《たかぎけいじ》が眉《まゆ》をひそめると、佐藤刑事《さとうけいじ》は「放《ほう》っときたくもなるわよ…」とげんなりした顔《かお》をした。

「捨《す》てりゃいいのに、警察学校時代《けいさつがっこうじだい》の写真《しゃしん》とか物《もの》とかが、ゴッチャリ詰《つ》まってて…」

「あれ？　佐藤《さとう》さんは警察学校時代《けいさつがっこうじだい》、いい思《おも》い出《で》とかないんですか？」

「あるわけないでしょ？　だって私達《わたしたち》の一年上《いちねんうえ》の…伊達《だて》さん達《たち》がヤンチャしまくったせいで…私達《わたしたち》の年《とし》だけ、規律《きりつ》が信《しん》じられないぐらい厳《きび》しくなってたんだから!!　あの松田君《まつだくん》もいたみたいだしねぇ…」

佐藤刑事《さとうけいじ》の一年上《いちねんうえ》の代《だい》には、今《いま》や伝説的《でんせつてき》な存在《そんざい》になっている五人《ごにん》の警察官《けいさつかん》がいた。

警察官《けいさつかん》なのに警察《けいさつ》が嫌《きら》いだった松田陣平《まつだじんぺい》、逮捕術《たいほじゅつ》に長《た》け誰《だれ》よりも強《つよ》さを追《お》い求《もと》めていた伊達航《だてわたる》、手先《てさき》が器用《きよう》で松田《まつだ》と共《とも》に爆発物処理班《ばくはつぶつしょりはん》へのスカウトを受《う》けていた萩原研二《はぎわらけんじ》、両親《りょうしん》を殺《ころ》した犯人《はんにん》を追《お》いかけていた諸伏景光《もろふしひろみつ》、そして、現在《げんざい》は公安部《こうあんぶ》に所属《しょぞく》し組織《そしき》で潜入捜査《せんにゅうそうさ》を行《おこな》いながら、安室透《あむろとおる》として喫茶《きっさ》ポアロでアルバイトもしている降谷零《ふるやれい》の五人《ごにん》だ。

佐藤刑事《さとうけいじ》は五人全員《ごにんぜんいん》を知《し》っているわけではないが、松田刑事《まつだけいじ》が捜査一課《そうさいっか》に配属《はいぞく》された際《さい》に行動《こうどう》を共《とも》にしていた時期《じき》がある。佐藤刑事《さとうけいじ》はいつも、松田刑事《まつだけいじ》のことを「松田君《まつだくん》」と呼《よ》んでいた。

「そういえば、伊達《だて》さんと松田《まつだ》さんは同期《どうき》なのに…何《なん》で松田《まつだ》さんは『君《くん》』付《づ》けなんですか？」

「松田君《まつだくん》は伊達《だて》さんと違《ちが》って、刑事《けいじ》としては私《わたし》の方《ほう》が先輩《せんぱい》だったから…」

そう言《い》うと、佐藤刑事《さとうけいじ》はジトッとした目《め》で「悪《わる》い？」と高木刑事《たかぎけいじ》の方《ほう》を見《み》た。

「あ…いえ…」

と、高木刑事《たかぎけいじ》が口《くち》ごもる。

二人《ふたり》は、諸伏警部《もろふしけいぶ》の待《ま》つ会議室《かいぎしつ》へと入《はい》ると、あいさつもそこそこに、例《れい》の封筒《ふうとう》をスッと机《つくえ》の上《うえ》に置《お》いた。

「この封筒《ふうとう》なんですが…あなた宛《あて》で間違《まちが》いありませんか？」

佐藤刑事《さとうけいじ》に聞《き》かれ、諸伏警部《もろふしけいぶ》は封筒《ふうとう》の宛名《あてな》を確認《かくにん》した。かなりにじんでしまっているが、

『これを長野県警《ながのけんけい》　諸伏高明警部《もろふしたかあきけいぶ》に送《おく》ってくれ』と書《か》かれているようだ。

「ええ…私宛《わたしあて》でしょう…」

「では中身《なかみ》の確認《かくにん》を…」

高木刑事《たかぎけいじ》に言《い》われ、諸伏警部《もろふしけいぶ》は「はい…」とうなずいて封筒《ふうとう》を手《て》に取《と》った。

中《なか》から出《で》てきたのは、傷《きず》だらけのスマートフォンだ。中央《ちゅうおう》に何《なに》かが貫通《かんつう》したような穴《あな》があいていて、画面《がめん》も蜘蛛《くも》の巣状《すじょう》に割《わ》れてしまっている。

「これは、スマートフォンですね…。中央《ちゅうおう》に穴《あな》が開《あ》いていますが…」

「確《たし》かに穴《あな》が…」

と、佐藤刑事《さとうけいじ》がのぞき込《こ》んで言《い》うと、高木刑事《たかぎけいじ》も「何《なん》の穴《あな》でしょうか？」と首《くび》をひねった。

諸伏警部《もろふしけいぶ》はスマートフォンの様子《ようす》をまじまじと観察《かんさつ》して、「ん？」と中央《ちゅうおう》の穴《あな》に目《め》を留《と》めた。

（穴《あな》の内側《うちがわ》に、黒《くろ》ずんだ染《し》み…。そして裏面《うらめん》には、傷《きず》に見《み》せかけた独特《どくとく》の「H《エイチ》」の文字《もじ》…）

スマートフォンの背面《はいめん》には、刃物《はもの》で切《き》りつけたような深《ふか》い傷跡《きずあと》が三本入《さんぼんはい》っている。少《すこ》しいびつだが、確《たし》かに「H《エイチ》」の形《かたち》に見《み》えなくもない。

諸伏警部《もろふしけいぶ》は全《すべ》てを察《さっ》して、「人生《じんせい》、死《し》あり…。修短《しゅうたん》は命《めい》なり…」と低《ひく》い声《こえ》でつぶやいた。

「え？」

「『人《ひと》は死《し》を避《さ》けられない…。短《みじか》い生涯《しょうがい》を終《お》えるのは天命《てんめい》である』…──という、中国《ちゅうごく》のある軍師《ぐんし》の言葉《ことば》です…。これは、私《わたし》の弟《おとうと》のスマートフォン…。警察《けいさつ》を辞《や》めたと言《い》っていましたが、これがここに届《とど》けられたのなら…恐《おそ》らく公安《こうあん》に配属《はいぞく》されて、どこかに潜入中《せんにゅうちゅう》に命《いのち》を落《お》としたんでしょう…。穴《あな》は弾痕《だんこん》、黒《くろ》い染《し》みは血痕《けっこん》でしょうから…」

諸伏警部《もろふしけいぶ》の弟《おとうと》の諸伏景光《もろふしひろみつ》は、警察学校《けいさつがっこう》を卒業後《そつぎょうご》、警視庁公安部《けいしちょうこうあんぶ》に配属《はいぞく》されて安室《あむろ》と共《とも》に黒《くろ》ずくめの組織《そしき》に潜入《せんにゅう》し、「スコッチ」と呼《よ》ばれていた。しかし、景光《ひろみつ》は組織《そしき》に正体《しょうたい》がバレてしまい、左胸《ひだりむね》を拳銃《けんじゅう》で撃《う》って自殺《じさつ》した。その際《さい》、胸《むね》ポケットに入《はい》っていたのが、このスマートフォンだ。

諸伏警部《もろふしけいぶ》はスマートフォンの黒《くろ》い染《し》みを見《み》つめながら、以前《いぜん》、景光《ひろみつ》から届《とど》いた手紙《てがみ》を思《おも》い出《だ》していた。

兄《にい》さん
今日《きょう》からオレも
警察官《けいさつかん》だ！

短《みじか》い文章《ぶんしょう》の最後《さいご》に添《そ》えられていた「Ｈｉｒｏ《ヒロ》」のサインは、スマートフォンの背面《はいめん》に彫《ほ》られた「Ｈ《エイチ》」の文字《もじ》と同《おな》じクセで書《か》かれていた。これは間違《まちが》いなく、景光《ひろみつ》のものだ。
手紙《てがみ》には、警察官《けいさつかん》の制服《せいふく》を着《き》た景光《ひろみつ》の写真《しゃしん》も同封《どうふう》されていた。敬礼《けいれい》のポーズを取《と》って写《うつ》っていた景光《ひろみつ》の姿《すがた》を思《おも》い出《だ》し、諸伏警部《もろふしけいぶ》は少《すこ》しだけ表情《ひょうじょう》をゆるめて（そうだよな？　景光《ひろみつ》…）とボロボロのスマートフォンに向《む》かって語《かた》りかけた。

「今日《きょう》はありがとうございました…」
見送《みおく》りに出《で》て来《き》た高木刑事《たかぎけいじ》に「いえいえ…」と頭《あたま》を下《さ》げ、諸伏警部《もろふしけいぶ》は警視庁《けいしちょう》を後《あと》にした。

「じゃあ、送《おく》り主《ぬし》がわかる事《こと》があれば、また連絡《れんらく》しますね…」

高木刑事《たかぎけいじ》の言葉《ことば》に「ええ…」とうなずいたものの、諸伏警部《もろふしけいぶ》はすでに、送《おく》り主《ぬし》の見当《けんとう》がついていた。

景光《ひろみつ》は、幼少期《ようしょうき》に両親《りょうしん》を殺《ころ》されている。その時《とき》に犯人《はんにん》を目撃《もくげき》したショックで、一時期《いちじき》、声《こえ》を発《はっ》することができなくなっていた。その後《ご》、景光《ひろみつ》は東京《とうきょう》の親戚《しんせき》の家《いえ》に引《ひ》き取《と》られ、しばらくしてから諸伏警部《もろふしけいぶ》に電話《でんわ》をかけてきた。

(高明兄《たかあきにい》ちゃん！ ボク、東京《とうきょう》で友達《ともだち》ができたよ！)

景光《ひろみつ》は、再《ふたた》び声《こえ》を出《だ》し、話《はな》すことができるようになっていた。それはどうやら、東京《とうきょう》でできたという友達《ともだち》のおかげらしい。

(アダ名《な》が「ゼロ」って言《い》うんだ！ カッコイイでしょ？)

友達《ともだち》について話《はな》す景光《ひろみつ》の声《こえ》は、電話口《でんわぐち》でもわかるほどうれしそうにはずんでいた。

景光《ひろみつ》が東京《とうきょう》で出会《であ》った友達《ともだち》——安室透《あむろとおる》。安室《あむろ》は本名《ほんみょう》を降谷零《ふるやれい》という。零《れい》はゼロとも読《よ》むことから、安室《あむろ》は子《こ》どもの頃《ころ》、ゼロというあだ名《な》で呼《よ》ばれていた。

封筒《ふうとう》の裏面《うらめん》に書《か》かれていた、数字《すうじ》のゼロに似《に》た楕円《だえん》を見《み》つめ、電話《でんわ》をかけてきた景光《ひろみつ》の声《こえ》を思《おも》い出《だ》しながら、諸伏警部《もろふしけいぶ》はゆっくりと歩《ある》いて警視庁《けいしちょう》を後《あと》にした。

And the mystery goes on!

〈大人気！「名探偵コナン」シリーズ〉

名探偵コナン　大怪獣ゴメラVS仮面ヤイバー

名探偵コナン　ブラックインパクト！　組織の手が届く瞬間

小説　名探偵コナン　CASE1〜4

名探偵コナン　安室透セレクション　ゼロの推理劇

名探偵コナン　怪盗キッドセレクション　月下の予告状

名探偵コナン　京極真セレクション　蹴撃の事件録

名探偵コナン　赤井秀一セレクション　赤と黒の攻防

名探偵コナン　赤井一家セレクション　緋色の推理記録

名探偵コナン　世良真純セレクション　異国帰りの転校生

名探偵コナン　赤井秀一緋色の回顧録セレクション　狙撃手の極秘任務

名探偵コナン　黒ずくめの組織セレクション　黒の策略

名探偵コナン　警察セレクション　命がけの刑事たち

名探偵コナン　安室透セレクション　ゼロの裏事情

まじっく快斗1412　全6巻

次はどれにする？　おもしろくて楽しい新刊が、続々登場!!

★小学館ジュニア文庫★ ワクワク、ドキドキがいっぱいのラインナップ

〈ジュニア文庫でしか読めないおはなし！〉

愛情融資店まごころ　全3巻
アイドル誕生！～こんなわたしがAKB48に!?～
アズサくんには注目しないでください！
あの日、そらですきをみつけた
いじめ　14歳のMessage
1話3分　こわい家、あります。くらやみくんのブラックリスト
1話3分　こわい家、あります。くらやみくんのブラックリスト　2
1話3分　こわい家、あります。くらやみくんのブラックリスト　3
おいでよ、花まる寮！
お悩み解決！　ズバッと同盟　全2巻
緒崎さん家の妖怪事件簿　全4巻
彼方からのジュエリーナイト！
彼方からのジュエリーナイト！　怪盗ナインをつかまえたい！

華麗なる探偵アリス&ペンギン
華麗なる探偵アリス&ペンギン　ワンダー・チェンジ！
華麗なる探偵アリス&ペンギン　ミラー・ラビリンス
華麗なる探偵アリス&ペンギン　サマー・トレジャー
華麗なる探偵アリス&ペンギン　トラブル・ハロウィン
華麗なる探偵アリス&ペンギン　ペンギン・パニック！
華麗なる探偵アリス&ペンギン　ミステリアス・ナイト
華麗なる探偵アリス&ペンギン　アリスVS.ホームズ！
華麗なる探偵アリス&ペンギン　アラビアン・デート
華麗なる探偵アリス&ペンギン　パーティ・パーティ
華麗なる探偵アリス&ペンギン　ホームズ・イン・ジャパン
華麗なる探偵アリス&ペンギン　ウィッチ・ハント！
華麗なる探偵アリス&ペンギン　ファンシー・ファンタジー
華麗なる探偵アリス&ペンギン　リトル・リドル・アリス
華麗なる探偵アリス&ペンギン　ゴースト・キャッスル
華麗なる探偵アリス&ペンギン　ウエルカム・ミラーランド
華麗なる探偵アリス&ペンギン　ウィッシュ・オン・ザ・スターズ
華麗なる探偵アリス&ペンギン　ダンシング・グルメ
華麗なる探偵アリス&ペンギン　ペンギン・ウォンテッド！

ギルティゲーム　全6巻
銀色☆フェアリーテイル　全3巻
ぐらん×ぐらんぱ！　スマホジャック　全2巻
ここはエンゲキ特区！
さくら×ドロップ　レシピ1：チーズハンバーグ
ちえり×ドロップ　レシピ1：マカロニグラタン
みさと×ドロップ　レシピ1：チェリーパイ
さよなら、かぐや姫～月とわたしの物語～
12歳の約束
女優猫あなご
白魔女リンと3悪魔　全10巻
世界中からヘンテコリン!?　世にも不思議なおみやげ図鑑　メキシコ&フィンランド編
世界の中心で、愛をさけぶ
絶滅クラス！～暴走列車から脱出しろ！～

★小学館ジュニア文庫★ ワクワク、ドキドキがいっぱいのラインナップ

〈話題の映像化ノベライズシリーズ〉

アイドル×戦士 ミラクルちゅーんず！
劇場版 ひみつ×戦士 ファントミラージュ！ ～映画になってちょーだいします～
劇場版 ポリス×戦士 ラブパトリーナ ～怪盗からの挑戦！ ラブでパパッとタイホせよ！～

あさひなぐ
兄に愛されすぎて困ってます
あのコの、トリコ。
一礼して、キス
糸 映画ノベライズ版
ういらぶ。
海街diary
映画くまのがっこう パティシエ・ジャッキーとおひさまのスイーツ
映画 4月の君、スピカ。

映画 10万分の1

映画刀剣乱舞
映画プリパラ み～んなのあこがれ♪ レッツゴー☆プリパリ
映画妖怪ウォッチ 空飛ぶクジラとダブル世界の大冒険だニャン！
映画妖怪ウォッチ シャドウサイド 鬼王の復活
映画妖怪ウォッチ FOREVER FRIENDS
映画 妖怪学園Y 猫はHEROになれるか
映像研には手を出すな！

怪盗ジョーカー ①～⑦
がんばれ！ ルルロロ 全2巻
境界のRINNE 全3巻
今日から俺は!!劇場版

キラッとプリ☆チャン ～プリティオールフレンズ～

くちびるに歌を
劇場版アイカツ！
心が叫びたがってるんだ。
坂道のアポロン
貞子VS伽椰子

次はどれにする？ おもしろくて楽しい新刊が、続々登場!!

真田十勇士
呪怨―ザ・ファイナル―
呪怨―終わりの始まり―
小説 イナズマイレブン アレスの天秤 全4巻
小説 イナズマイレブン オリオンの刻印 全4巻

小説 おそ松さん 6つ子とエジプトとセミ
スナックワールド 全3巻
世界からボクが消えたなら 映画「世界から猫が消えたなら」キャベツの物語
世界から猫が消えたなら
NASA超常ファイル ～地球外生命からの挑戦状～
二度めの夏、二度と会えない君

8年越しの花嫁 奇跡の実話

花にけだもの
花にけだもの Second Season
ヒノマルソウル ～舞台裏の英雄たち～

響―HIBIKI―
ぼくのパパは天才なのだ 「深夜！天才バカボン」ハジメちゃん日記
ポケモン・ザ・ムービーXY 破壊の繭とディアンシー
ポケモン・ザ・ムービーXY 光輪の超魔神フーパ
ポケモン・ザ・ムービーXY&Z ボルケニオンと機巧のマギアナ
劇場版ポケットモンスター キミにきめた！
劇場版ポケットモンスター みんなの物語

名探偵ピカチュウ
ミュウツーの逆襲 EVOLUTION
劇場版ポケットモンスター ココ

ポッピンQ
未成年だけどコドモじゃない
MAJOR 2nd 1 二人の二世
MAJOR 2nd 2 打倒！東斗ボーイズ
ラスト・ホールド！
レイトン ミステリー探偵社 ～カトリーのナゾトキファイル～1～4

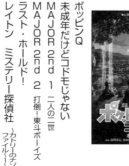

★小学館ジュニア文庫★ ワクワク、ドキドキがいっぱいのラインナップ

〈みんな大好き♡ディズニー作品〉

アナと雪の女王 ～同時収録 短編 エルサのサプライズ～
アナと雪の女王2
アナと雪の女王 ～ひきさかれた姉妹～
あの夏のルカ
アラジン
クルエラ
ジャングル・ブック
ズートピア

ソウルフル・ワールド
ダンボ
ディズニーツムツムの大冒険 全2巻
ディズニーヴィランズのこわい話 アースラ 悪夢の契約書
ディズニーヴィランズのこわい話 フック船長 12歳、永遠の呪い
ディセンダント 全3巻

トイ・ストーリー
トイ・ストーリー2

塔の上のラプンツェル
ナイトメアー・ビフォア・クリスマス
2分の1の魔法
眠れる森の美女 ～目覚めなかったオーロラ姫～
バズ・ライトイヤー

美女と野獣 ～運命のとびら～（上）（下）
ファインディング・ドリー
ファインディング・ニモ
ベイマックス

マレフィセント2 ～同時収録 マレフィセント～
ミラベルと魔法だらけの家
ムーラン
モンスターズ・インク
モンスターズ・ユニバーシティ
ラーヤと龍の王国
ライオン・キング
私ときどきレッサーパンダ

わんわん物語

次はどれにする？　おもしろくて楽しい新刊が、続々登場!!

〈全世界で大ヒット中！　ユニバーサル作品〉

怪盗グルーの月泥棒
怪盗グルーのミニオン危機一発
怪盗グルーのミニオン大脱走
グリンチ
ジュラシック・ワールド　炎の王国
ジュラシック・ワールド　0　悲劇の王国
ジュラシック・ワールド　新たなる支配者

ジュラシック・ワールド　サバイバル・キャンプ
ジュラシック・ワールド　サバイバル・キャンプ2
SING シング
SING シング ―ネクストステージ―

ペット
ペット2
ボス・ベイビー
ボス・ベイビー　ファミリー・ミッション

ボス・ベイビー　～ビジネスは赤ちゃんにおまかせ～　1～2
ミニオンズ
ミニオンズ フィーバー

モンスターズ・ナイト　～魔人ドラキュラ・フランケンシュタイン・狼男～

〈たくさん読んで楽しく書こう！　読書ノート〉

アナと雪の女王2 読書ノート
すみっコぐらしの読書ノート
すみっコぐらしの読書ノート ぱーと2
コウペンちゃん読書ノート
ドラえもんの夢をかなえる読書ノート

名探偵コナン読書ノート

Shogakukan Junior Bunko

★小学館ジュニア文庫★

名探偵コナン
安室透セレクション　ゼロの裏事情《エピソード》

2022年 7 月20日　初版第 1 刷発行

著者／酒井 匙
原作・イラスト／青山剛昌

発行人／吉田憲生
編集人／今村愛子
編集／山口久美子

発行所／株式会社　小学館
〒101-8001　東京都千代田区一ツ橋2－3－1
電話／編集　03-3230-5105
販売　03-5281-3555

印刷・製本／中央精版印刷株式会社

デザイン／石沢将人＋ベイブリッジ・スタジオ

Printed in Japan　ISBN 978-4-09-231427-6